논·술·세·계·대·표·문·학

12

갈매기

안톤 체호프 | 김영희 엮음

벚꽃 동산 · 귀여운 여인 · 굴

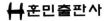훈민출판사

안톤 체호프의 초상화

체호프가 쓰던 책상

The Best World Literature

체호프의 동상

부인과 함께한 체호프

러시아 모스크바의 야경

체호프의 묘지

체호프가 살던 집

체호프 기념관

모스크바 예술극장 – 체호프
희곡이 많이 공연되었다.

The Best World Literature

체호프 작품 주인공들의 조각상
— 〈갈매기〉, 〈벚꽃 동산〉, 〈세
여인〉 등

모스크바 예술극장 단원들
에서 희곡 〈갈매기〉를 낭독하
는 체호프

구인환(丘仁煥)

서울대학교 사범대학 졸업. 동 대학원 졸업(문학박사)
서울대학교 명예교수, 소설가(현). 서울대학교 사범대학 국어교육연구소 소장(현)
문학과문학교육연구소 소장(현). 국제펜 한국본부 부회장(현)
한국소설문학상(1987). 예술문화대상(1994). 한국문학상(2000)
작품 〈숨쉬는 영정〉, 〈살아 있는 날들〉, 〈일어서는 산〉 외 다수

- 저서 《한국단편소설의 이해》, 《한국현대소설의 비평적 성찰》,
  《고교생이 알아야 할 소설》, 《고교생이 알아야 할 세계단편소설》 외 다수

윤병로(尹柄魯)

성균관대학교 국어국문학과 졸업. 동 대학원 졸업(문학박사)
성균관대학교 교수, 문학평론가(현). 한국현대소설학회장(현)
한국문예학술저작권협회 이사(현). 한국간행물윤리위원회 위원(현)
한국펜 문학상(1987). 한국문학상(1988). 대한민국문학상(1989)
수필집 《나의 작은 애인들》 외 다수

- 저서 《현대 작가론》, 《한국 현대 소설의 탐구》,
  《한국 근대 작가 작품 연구》, 《한국 현대 작가의 문제작 평설》 외 다수

홍성암(洪性岩)

고려대학교 국어국문학과 졸업. 한양대학교 대학원 국어국문학과 졸업(문학박사)
동덕여자대학교 교수, 소설가(현). 한국문인협회 회원(현)
한국소설가협회 이사(현). 국제펜 한국본부 소설분과 이사(현). 한민족 문화학회 회장(현)
창작집 《큰 물로 가는 큰 고기》, 《어떤 귀향》 외
대하역사소설 《남한산성》 (전9권) 외 다수

- 저서 《문학의 이해》, 《현대 작가론》, 《한국 근대 역사소설 연구》 외 다수

기획 · 감수

러시아 사관 생도들의 모습

논술 *세계대표문학*을 펴내며

21세기의 사회는 **'전자 문명 시대'**라 일컬어질 만큼 오늘날 전자 산업은 우리 생활의 거의 모든 분야에 다양하게 응용되고 있습니다. 출판 분야 또한 예외는 아니어서, 종래의 서책(Book) 대신에 이른바 '전자책(CD-ROM)'의 출간이 최근 들어 날로 증가하고 있습니다.

그러나 이러한 전자책은 영상 또는 모니터상으로 흥미 위주나 백과사전식 지식을 습득하는 데는 효과적일지 모르지만, 문학 공부를 위해서는 별로 도움이 되지 않습니다. 바꾸어 말하면, 문학 공부는 각 지면마다 살아 숨쉬는 표현 하나하나를 독자 자신의 머리로 음미하면서 작품을 읽어 나가는 가운데, 풍부한 상상력의 배양과 함께 작가의 의도와 그 작품의 내면을 깊이 있게 이해함으로써 이루어지는 것입니다.

이에 훈민출판사에서는, 자라나는 학생들이 범람하는 영상 매체에 길들여지기 전에, 어려서부터 유명한 세계문학 작품들을 책자를 통하여 감명 깊게 읽고 감상함으로써, 올바른 문학 공부의 기틀을 다지고, 아울러 전인 교육도 할 수 있도록 《논술 세계대표문학(전60권)》을 펴내게 되었습니다.

작품 선정은, 초·중·고등학교 국어 교과서와 역사 교과서에 실리거나 소개된 문학 작품을 중심으로 하되, 그리스 신화와 성경 이야기 등의 고전에서부터 중세·근대·현대에 이르기까지 세르반테스·셰익스피어·톨스토이 등 세계 유명 작가들의 장·단편 소설들을 엄선·수록하였습니다. 또 세계의 명시도 별권으로 엮었으며, 특히 각 단락마다 **'논술 문제'**를 제시하여, 장차 대학입시를 비롯한 각종 '논술 고사'에 예비 지식을 쌓을 수 있도록 배려하였습니다. 아무쪼록, 이 《논술 세계대표문학(전60권)》이 자라나는 학생들에게 문학 공부의 주춧돌이 되고, 나아가 미래를 살아가는 데 **정신적 자양분**이 되기를 진심으로 바라 마지않습니다.

훈민출판사

차례

갈매기

벚꽃 동산 / 귀여운 여인/ 굴

체호프

지은이

1860~1904년. 남러시아의 타간로그에서 출생. 체호프의 조부는 돈을 주고 해방된 농
노였으며, 아버지는 잡화상을 운영하는 상인이었다. 중학교를 고학으로 마친 그는 생계
를 위해 콩트를 쓰기도 했으며, 의사가 된 뒤에도 글 쓰는 일을 게을리 하지 않았다.
작가란 현실의 객관적인 증인임을 자각한 체호프는 풍자와 유머, 애수가 담긴 많은 작품
들을 남겼다. 그는 1904년, 지병인 폐결핵의 악화로 세상을 떠났는데, 대표작으로는
〈갈매기〉, 〈바냐 아저씨〉, 〈세 자매〉, 〈벚꽃 동산〉 등이 있다.

벚꽃 동산

장소 — 라네프스카야 부인의 영지

등장인물

라네프스카야(류보피 안드레예브나) : 애칭 류바

아냐 : 류바의 딸, 17세

바랴 : 류바의 양녀, 24세

가예프(레오니드 안드레예비치) : 애칭 로냐. 라네프스카야의 오빠

로파힌(예르몰라이 알렉세예비치) : 상인

트로피모프(표트르 세르게예비치) : 애칭 페차, 대학생

피시치크(보리스 보리소비치 시메오노프) : 지주

샤를로타(이바노브나) : 가정교사

에피호도프(세몬 판첼레예비치) : 집사

두냐샤 : 하녀

피르스 : 늙은 하인, 87세

야샤 : 젊은 하인

부랑자

역장

우체국 관리

그 밖에 손님들, 하인들

제1막

아직도 '어린이 방'이라고 불리고 있는 방이 있고, 그 방의 문 하나는 아냐의 방으로 통한다. 해가 막 뜨기 시작하는 새벽 무렵이다. 이미 5월의 꽃인 벚꽃이 피었지만, 정원은 새벽녘의 냉기로 아직 춥다. 방 안 창문은 모두 닫혀 있다.

두냐샤는 촛불을, 로파힌은 책을 들고 등장한다.

로파힌 — 기차가 이제야 도착했군. 원, 세상에. 근데 지금 몇 시나 됐지?

두냐샤 — 2시가 다 돼 가요. (촛불을 불어서 끈다) 벌써 날이 샜어요.

로파힌 — 기차가 얼마나 연착했지? 적어도 두 시간은 될 거야. (하품을 하고 기지개를 켠다) 나도 멍청하지. 이런 실수를 하다니! 정거장에 마중 나가려고 여기까지 왔으면서도, 그새 잠을 자 버리다니 말이야. 그것도 의자에 앉은 채로. 쳇, 화가 나는군. 날 좀 깨우지 그랬니?

두냐샤 — 떠나신 줄 알았어요. (귀를 기울인다) 어머, 오셨나 봐요!

로파힌 — (귀를 기울이더니) 아냐! 짐도 찾아야 하고, 이것저것 할 일이 많으실 테니……. 라네프스카야 부인은 외국에서 5년이나 사셨으니까, 많이 변하셨을 거야. 정말 좋은 분이지. 쾌활하고 솔직하고 말이야. 잊혀지지도 않는군. 내가 아마 열다섯 살쯤 되었을 거야. 그 때 우리 아버지는 조그만 가게를 하고 계셨지. 한데 내가 밀씽을 피우던 어느 날, 아버지가 내 얼굴을 주먹으로 때려서 코피를 쏟았고, 그 때

마침 거나하게 취한 아버지와 난 무슨 일이었는지 이 저택에 들르게 되었지. 그 당시만 해도 젊고 날씬했던 부인이 코피를 줄줄 흘리고 있는 나를 세면대까지 데려가 주셨지. 그게 바로 이 어린이 방이었어. '울면 안 돼요, 꼬마 농부님. 장가갈 때까지는 낫게 될 테니…….' (부상당한 자를 위로해 주는 관용구) 하시면서 코피를 닦아 주고 달래 주셨지. (사이) 꼬마 농부라……. 정말 우리 아버지는 농사꾼이었지. 지금은 이렇게 흰 조끼에 노란 구두를 신고 있지만, 개발에 편자란 말이야……. 하기야 돈은 좀 있지. 그렇긴 해도, 가슴에 손을 얹고 생각해 보면, 난 역시 농사꾼임엔 틀림없어. (책장을 넘기며) 아까도 이 책을 읽고 있었지만, 전혀 모르겠더군. 그래서 읽다가 그만 잠이 들어 버린 거야. (사이)

두냐샤 – 간밤엔 개들도 밤새도록 자지 않더군요. 주인이 온다는 걸 감지했나 봐요.

로파힌 – 아니, 두냐샤, 왜 그래?

두냐샤 – 아, 손이 떨려요. 쓰러질 것 같아요!

로파힌 – 넌 너무 사치스럽구나, 두냐샤. 옷차림도 귀족 아가씨 같고, 머리 모양도 그래. 그래서는 안 돼. 자기 분수를 알아야지.

꽃다발을 안고 등장하는 에피호도프. 정장 차림을 하고, 삐걱거리는, 반짝반짝 윤이 나는 장화를 신고 있다. 들어오면서 꽃다발을 떨어뜨린다.

에피호도프 – (꽃다발을 줍는다) 정원사가 이걸 주더군요. 식당에 꽂으라면서 말이죠. (두냐샤에게 꽃다발을 건네준다)

로파힌 – 크바스(러시아 산 맥주의 일종) 좀 갖다 줘!

두냐샤 - 네, 알겠습니다. (퇴장)

에피호도프 - 지금은 영하 3도의 추위지만 마침 벚꽃이 만발했어요. 우리 나라의 기후는 영 마음에 들지 않아요. (한숨을 쉰다) 아무래도 말이죠, 우리 나라의 기후는 계절에 맞지 않거든요. 그런데 예르몰라이 알렉세예비치, 내친 김에 한 마디 덧붙이겠습니다만, 실은 그저께 장화를 새로 맞추었는데, 그것이 어찌나 삐걱거리는지 모르겠습니다. 무엇을 바르면 좋을까요?

로파힌 - 에이, 그만둬. 귀찮아 죽겠군!

에피호도프 - 나한테는 날마다 무엇인가 불행이 일어나지요. 하지만 넋두리는 하지 않습니다. 이젠 익숙해져서 오히려 미소를 띠고 있을 정도죠!

두냐샤 등장. 로파힌에게 크바스를 준다.

에피호도프 - 그럼 이만 물러가겠습니다. (의자에 부딪혀 의자가 쓰러진다) 글쎄, 이렇다니까……. (신이 난 모양으로) 어떻습니까? 건방진 말 같습니다만, 제 말이 맞죠? 무슨 운수가 이럴까요? 어쨌든 참 괴상하다고 말하고 싶다니까요. (퇴장)

두냐샤 - 사실은 말예요, 예르몰라이 알렉세예비치, 에피호도프가 저에게 청혼을 했어요.

로파힌 - 그래?

두냐샤 - 그런데, 어떻게 하면 좋을지 모르겠어요. 사람은 좋지만, 가끔 말할 때 보면 종잡을 수가 없거든요. 듣고 있으면 재미있고 즐겁기도 하지만, 뭐가 뭔지 알아들을 수가 있어야 말이죠. 그이는 저한테 아주 열을 올리고 있어요. 저도 그이가 싫지는 않지만……. 그이는

불행한 사람이에요. 날마다 무슨 일인가 일어나거든요. 여기서는 그
이를 '스물두 가지 불행'이라고 놀려 대고 있어요.

로파힌 - (귀를 기울이며) 자, 이번에는 정말 도착하셨나 보군.

두냐샤 - 오셨어요! 그런데, 왜 이렇게 몸이 싸늘해지는지 모르겠어
요.

로파힌 - 정말 오셨군. 자, 마중하러 나가자꾸나. 날 알아보실지 모
르겠군. 거의 5년 만이니까.

두냐샤 - (갈피를 못 잡으며) 아아, 당장 쓰러질 것만 같아요!

　현관 쪽에서 두 대의 마차가 도착하는 소리. 로파힌과 두냐샤 황급히
나가고, 무대는 텅 빈다. 무대 뒤에서 소란스러운 소리가 난다. 정거장
까지 라네프스카야 부인을 마중하러 나갔던 늙은 하인 피르스가 낡은

제복을 입고 운두 높은 모자를 쓰고 나타난다. 거의 알아 들을 수 없는 소리를 중얼거리며 지팡이에 기대어 바쁜 듯이 무대를 가로지른다. 무대 뒤에서는 소란스런 소리가 점점 높아진다. '자, 이쪽으로 가십시다.' 하는 소리. 라네프스카야 부인, 아냐, 쇠사슬에 맨 개를 데리고 있는 샤를로타 등은 모두 여행복 차림이다. 외투를 입고 머리수건을 쓴 바랴, 가예프, 피시치크, 로파힌, 보따리와 양산을 든 두냐샤, 많은 짐을 든 하인들 모두 방을 지나간다.

아 냐 – 이리로 가요, 어머니. 이 방, 기억나세요?
라네프스카야 – (감격한 소리로) 어린이 방이지!
바 랴 – 어찌나 추운지 손이 다 얼었네. (라네프스카야에게) 어머니 방은 흰 방, 보랏빛 방 모두 옛날 그대로예요, 어머니.

라네프스카야 ― 어린이 방은 깨끗하고 그리운 방이지. 내가 어렸을 때 이 방을 썼단다. (운다) 나는 지금도 어린애와 다름없어……. (오빠와 바랴에게, 그리고 또 오빠에게 키스한다) 바랴는 조금도 달라진 데가 없구나. 여전히 수녀 같아. 두냐샤도 한눈에 알아봤지. (두냐샤에게 키스한다)

가예프 ― 두 시간이나 연착하다니! 나, 원 참.

샤를로타 ― (피시치크에게) 저의 개는 호두도 잘 먹는답니다.

피시치크 ― (기가 막히다는 듯이) 오, 이런, 정말 놀랍군요!

아냐와 두냐샤를 남겨 놓고 모두 퇴장한다.

두냐샤 ― 아가씨, 이제야 돌아오셨군요. (아냐의 외투와 모자를 벗긴다)

아 냐 ― 여행 중에 나흘 밤이나 꼬박 잠을 못 잤어. 그리고 지금은 이렇게 꽁꽁 얼어 버렸고!

두냐샤 ― 여길 떠나실 때는 사순절 때라 눈이 내리고 몹시 추웠지만, 지금은 그래도 그 때보다는 조금 덜 춥지 않나요? 귀여운 아씨! (웃으며 아냐에게 키스한다) 얼마나 기다렸다고요, 사실은 말씀드릴 게 있어요. 이제 1분도 못 참겠어요.

아 냐 ― (지친 듯이) 뭔데?

두냐샤 ― 집사 에피호도프가 부활절 뒤에 저에게 청혼을 했어요.

아 냐 ― 넌 언제나 같은 소리만 하는구나. (머리를 매만지면서) 난 머리핀을 모두 잃어버렸어. (몹시 지쳐서 비틀거린다)

두냐샤 ― 아가씨, 어떻게 해야 좋을지 모르겠어요. 그이는 저를 사랑하고 있어요. 그것도 아주 많이요!

아 냐 - (자기 방의 문을 쳐다보면서 그리운 듯이) 내 방, 내 창문……. 모든 게 그대로네! 난 지금 집에 있는 거야! 아, 조금이라도 잘 수 있었으면 좋았을 텐데. 여행 도중에 한잠도 자질 못했어. 어쩐지 집이 몹시 걱정이 돼서 말이야.

두냐샤 - 그저께 표트르 세르게예비치 씨가 오셨어요.

아 냐 - (기쁜 듯이) 페차가?

두냐샤 - 목욕실에서 주무세요. 거기에 거처하시죠. 방해가 되면 안 된다고 하시면서요. (회중시계를 꺼내 보고) 그분을 깨우면 좋겠지만, 바르바라 미하일로브나(바랴의 정식 이름)가 그분을 깨우지 말라고 하셨어요.

바랴 등장. 허리에 열쇠 꾸러미를 차고 있다.

바 랴 - 두냐샤, 커피를 빨리……. 어머님이 커피를 드시겠다니까.

두냐샤 - 네, 곧 가져갈게요. (퇴장)

바 랴 - 모두 무사히 도착해서 기뻐. 너도 돌아오고. (정답게) 우리 귀염둥이가 돌아왔구나!

아 냐 - 언니, 난 몹시 괴로웠어.

바 랴 - 그랬을 거야!

아 냐 - 이곳을 떠날 땐, 사순절이어서 몹시 추웠지. 샤를로타는 여행 하는 내내 지껄여 댔어. 마술까지 해 보였다니까. 언니는 왜 샤를로타를 딸려 보냈어?

바 랴 - 너 혼자 길을 떠나게 할 수는 없잖니, 아냐? 넌 겨우 열일곱 살이니까 말야.

아 냐 - 말두 마. 파리에 도착했는데, 거기두 춥더라고. 눈이 내렸어.

엄마는 5층 방에 살고 계셨어. 내가 갔을 때는 어떤 프랑스 인 남자와 여자, 그리고 자그마한 책을 든 늙은 신부님이 와 있었는데, 방 안 가득 담배 연기가 자욱해서 기분이 나빠 혼났어. 나는 갑자기 엄마가 가엾어서, 너무 가엾어서 엄마의 머리를 두 손으로 꼭 껴안은 채 떨어질 수가 없었어. 엄마는 그 후 언제나 감상적이 돼서 울고만 계셨어.

바 랴 - (목멘 소리로) 그만해, 말하지 마.

아 냐 - 망통(남프랑스의 니스 근처에 있는 휴양지)에 있는 별장도 팔아 버리고, 엄마한테 남은 거라곤 아무것도 없었어. 그래, 아무것도 말이야. 나한테도 1코페이카조차 남아 있지 않아서 간신히 돌아왔다니까. 그런데도 엄마는 전혀 신경을 안 쓰셔. 식당에서는 제일 값비싼 요리를 주문하시고, 보이들에게도 팁을 1루블씩 주시지 뭐야. 샤를로타도 마찬가지였어. 게다가 야샤까지도 태연하게 10인분을 주문하더라고. 정말 눈뜨고는 못 볼 지경이었어. 야샤, 그 왜, 엄마의 하인 있잖아, 그 사람도 데리고 왔어.

바 랴 - 나도 봤어. 얄미운 녀석이더구나.

아 냐 - 그런데 그 후 어때, 이자는 갚았어?

바 랴 - 이자가 다 뭐야?

아 냐 - 야단났군. 어떡하지?

바 랴 - 8월에는 이 영지가 경매에 붙여질 거야.

아 냐 - 아아, 정말 큰일났네!

로파힌 - (문틈으로 들여다보고, 소 울음소리를 낸다) 음매에……. (나간다)

바 랴 - (목멘 소리로) 정말, 이렇게 해 주고 싶어! (주먹으로 위협한다)

아 냐 – (바라를 껴안으며 나직이) 바랴, 그 분이 프로포즈했어? (바랴, 고개를 젓는다) 하지만, 그 분은 언니를 사랑하고 있어. 서로 고백하면 어때? 둘 다 뭘 기다리는 거야?

바 랴 – 어쩔 수가 없어. 그이는 일이 많아서 나 같은 건 관심도 없어. 돌아보지도 않는걸. 차라리 어디든 가 버렸으면 좋겠어. 그이의 얼굴을 쳐다보는 것조차 괴로워. 모두들 내가 결혼한다고 소문을 내고 축하까지 해 주지만, 사실은 아무 일도 없어. 다 꿈 같은 얘기야. (말투를 바꾸어) 네 브로치는 꿀벌같이 생겼구나.

아 냐 – (슬픈 표정으로) 엄마가 사 줬어. (자기 방으로 들어가면서 어린애처럼 쾌활한 목소리로) 언니, 난 파리에서 경기구를 타 봤어!

바 랴 – 귀여운 내 동생이 돌아와서 얼마나 기쁜지!

두냐샤 어느 새 커피 주전자를 가지고 와서 커피를 끓이고 있다.

바 랴 – (문 옆에 서서) 난 말이야, 아냐, 온종일 집안일로 바쁘면서도 언제나 이런 공상을 해. 너를 부잣집에 시집보낼 수 있다면, 난 안심하고 수녀원에 들어갈 수 있을 것 같다고……. 그리고 키에프, 모스크바 등지로 성지순례를 떠나는 거야! 어때, 멋있겠지?

그 때 야샤가 망토와 여행용 가방을 들고 등장한다.

야 샤 – (무대를 가로지르며 공손히) 지나가도 괜찮겠습니까?
두냐샤 – 어머, 몰라볼 정도로 변하셨군요, 야샤. 파리에 가시더니, 멋쟁이가 되셨어요.
야 샤 – 그런데 누구시더라?

두냐샤 - 당신이 떠나실 때, 나는 이 정도였지요. (손으로 높이를 가리켜 보인다) 두냐샤예요. 표트르 코조에도프의 딸이에요. 기억이 안 나세요?

야 샤 - 음……. 귀엽게 생겼군! (주위를 둘러보고 그녀를 껴안는다. 그녀는 소리를 지르고 접시를 떨어뜨린다. 야샤 재빨리 퇴장)

바 랴 - (문간에서 불만스럽게) 무슨 일이야?

두냐샤 - (목멘 소리로) 접시를 깼어요.

바 랴 - 좋은 징조로구나.

아 냐 - (자기 방에서 나오며) 페차가 와 있는 걸 엄마에게 알려드려야지.

바 랴 - 페차를 깨우지 말라고 했는데.

아 냐 - (생각에 잠겨) 벌써 6년 전인가? 아버지가 돌아가시고, 한 달만에 일곱 살밖에 안 된 동생 그리샤가 강물에 빠져 죽고 말았지. 엄마는 참을 수가 없어 집을 나가셨던 거야. 뒤도 안 돌아보시고 나가셨지……. (부르르 몸을 떤다) 난 엄마를 이해해. (사이) 페차는 그리샤의 가정교사였으니까, 그를 보시면, 또 옛날 일을 떠올리실지도 모르겠다…….

양복에 흰 조끼를 받쳐 입은 피르스 등장.

피르스 - (걱정스러운 표정으로 커피 주전자 옆으로 간다) 주인 마님이 여기서 커피를 드시겠다는구나. (흰 장갑을 끼며) 커피는 준비됐냐? (엄하게) 두냐샤! 크림은 어딨지?

두냐샤 - 어머, 크림을 안 가지고 왔네! (허둥지둥 퇴장한다)

피르스 - (서성이며) 이런, 멍청하게……. (혼잣말로) 드디어 마님이

파리에서 돌아오셨어. 언젠가 나리도 파리에 가셨었지……. 마차로. (소리내어 웃는다)

바 랴 – 피르스, 뭘 그렇게 중얼거리고 있어요?

피르스 – 네? (기쁜 듯이) 주인 마님께서 돌아오셨습니다! 죽지 않고 기다린 보람이 있어요. 이제는 죽어도 여한이 없답니다. (기쁨의 눈물을 흘린다)

라네프스카야 부인, 가예프, 피시치크 등장. 피시치크는 엷은 천의 소매 없는 겉옷과 통이 넓은 바지를 입고 있다. 가예프는 당구를 치는 듯한 시늉을 하며 들어온다. (로파힌도 등장)

라네프스카야 – 어떻게 하더라? 노란 공은 구석으로! 두 번 치기는 한가운데로!

가예프 – 살짝 쳐서 구석으로 보내는 거야. 어렸을 때, 바로 이 어린이 방에서 너와 자곤 했는데, 어느 새 내가 쉰한 살이나 되다니……. 참, 묘한 기분이야.

로파힌 – 그럼요. 세월처럼 빠른 게 있을라고요!

가예프 – 뭐?

로파힌 – 세월이 빠르다고 했어요.

가예프 – 아, 사향초 냄새가 나는군.

아 냐 – 저는 이만 가서 자야겠어요. 안녕히 주무세요, 엄마. (어머니에게 키스한다)

라네프스카야 – 내 귀염둥이, (딸의 손에 키스한다) 집에 오니 좋지? 나는 아직도 믿기지 않는구나. 집에 돌아왔다는 것이.

아 냐 – 안녕히 주무세요, 아저씨,

가예프 - (그녀의 얼굴과 두 손에 키스한다) 잘 자라, 아냐. 넌 어쩌면 그렇게도 네 엄마를 쏙 빼닮았냐? (여동생에게) 류바, 너도 이 아이 나이 때는 꼭 이랬었지.

아냐는 로파힌과 피시치크에게 한 손을 내민 후, 자기 방으로 돌아간다.

라네프스카야 - 몹시 지친 모양이에요, 아냐가.
피시치크 - 긴 여행이었으니까요.
바 랴 - (로파힌과 피시치크에게) 여러분, 세 시가 다 돼 가는데, 슬슬 신사의 예의를 보여 주시는 게 어떠신지요?
라네프스카야 - (웃는다) 여전하구나, 바랴. (그녀를 안고 키스한다) 이 커피나 마시고 돌아가시게 하자꾸나. (피르스는 부인의 발 밑에 발을 얹을 쿠션을 놓는다) 고마워, 피르스. 난 커피에 중독이 되어 이렇게 밤낮으로 마셔요. 고마워, 할아범. (피르스에게 키스한다)
바 랴 - 잠깐 살펴보고 와야겠어요. 짐이 모두 왔는지……. (퇴장)
라네프스카야 - 정말 여기 앉아 있는 것이 나일까? (웃는다) 실감이 안 나! (두 손으로 얼굴을 가린다) 꿈이면 어떡하지? 하느님께 맹세하지만, 난 정말 이 곳을 사랑해요. 이 곳은 마치 어머니 품 같아요. 난 기차 창문에서, 차마 밖을 내다볼 수 없어서 내내 울고만 있었어요. (목멘 소리로) 그건 그렇고, 커피를 마셔야지. 고마워, 피르스. 할아범이 건강하게 있어 줘서 정말 기뻐.
피르스 - 그저께였습니다.
가예프 - 허, 이런! 귀가 어두워졌군.
로파힌 - 전 내일 아침 네 시에 하르코프로 떠나야 합니다. 유감스럽게도요! 드릴 말씀도 있었습니다만……. 부인, 여전히 멋지시군요.

피시치크 – (숨을 몰아쉬면서) 신수가 훤해지셨네요. 옷도 파리 식이고……. 아이고, 이거 눈이 부셔서, 똑바로 볼 수도 없을 지경이네요.

로파힌 – 부인의 오라버님이신 레오니드 안드레예비치는 나를 비천하다느니, 욕심꾸러기라느니 하시지만, 전 조금도 개의치 않습니다. 다만, 부인만큼은 예전처럼 절 신뢰해 주십사, 하는 것뿐입니다. 저희 아버지는 부인의 할아버지와 아버지의 농노였지요. 그런데도 부인께서는 제게 늘 친절히 대해 주셨습니다. 그래서 전 부인을 육친처럼 여기고 있습니다. 아니, 육친 그 이상이죠.

라네프스카야 – 가만히 있을 수가 없군요. 도저히 안 되겠어요. (몹시 흥분해서 벌떡 일어나더니 돌아다닌다) 기뻐서, 기뻐서 정말 미칠 지경이에요. 날 비웃어도 좋아요. 그리운 내 책장……, (책장에 키스한다) 내 작은 테이블…….

가예프 – 네가 없는 동안에 유모가 죽었다.

라네프스카야 – (다시 앉아 커피를 마시며) 알아요. 고인에게 명복을! 통지를 받았지요.

가예프 – 그리고 아나스타샤도 죽었어. 사팔뜨기 페트루시카는 지금 읍내 서장 댁에 있다. (주머니에서 얼음사탕이 든 상자를 꺼내 사탕을 먹는다)

피시치크 – 우리 딸 다셴카가……. 안부를 전해 달라고 하더군요.

로파힌 – 실은 부인께 매우 유쾌한 얘기를 해 드리고 싶습니다만……. (시계를 꺼내 들여다보며) 아, 이런. 일어나야겠군요. 간단히 말씀드리죠. 아시다시피 댁의 벚꽃 동산은 채무의 저당으로 팔리게 되었습니다. 경매일은 8월 22일입니다. 그러나 걱정마세요. 안심하십시오, 부인, 방법은 있으니까요. 잘 들어주십시오! 부인의 영지는 읍내에서 가까운데다가 바로 곁에 철도가 있기 때문에, 만약 이 벚꽃 동산과 강에 접한 그 일대를 별장용으로 나누어 빌려 준다면, 부인은 최소한 한 해에 2만 5천 루블은 받으실 수 있을 겁니다.

가예프 – 무슨 잠꼬대 같은 소리야!

라네프스카야 – 잘 이해가 안 가는군요, 예르몰라이 알렉세예비치.

로파힌 – 다시 말하면, 별장 부지로 임대를 하면 3천 평에 대해 최저 연 25루블의 비율로 지대를 받을 수 있게 된다, 이 말씀입니다. 만약 지금 광고를 내신다면, 보증하겠습니다만, 가을까지는 한 평도 남김 없이 세를 놓으실 수 있을 겁니다. 그렇게 되면 만사형통이죠. 여기 처럼 별장용으로 적당한 장소도 없으니까요. 물론 손은 좀 보셔야겠 지요. 이를테면 낡은 건물은 모두 철거해 버린다든지 하는. 이 저택도 쓸모 없고, 묵은 벚나무도 없애 버려야 합니다.

라네프스카야 – 벚나무를 없앤다고요? 정말 댁은 아무것도 모르시는 군요. 이 마을에서 그래도 뭔가 내놓을 게 있다면, 그건 우리 집 벚꽃 동산뿐이에요.

로파힌 – 훌륭하다 해도 결국은 넓다는 것뿐입니다. 버찌는 2년에 한 번밖에 열리지 않고, 또 열린다 해도 팔 데가 없지 않습니까? 누가 요즘에 버찌를 먹나요?

가예프 – 이 동산은 백과사전에도 나와 있단 말이야!

로파힌 – (시계를 들여다보며) 아, 이렇게 결론이 나지 않는다면, 8월 22일에는 벚꽃 동산은 물론 영지 전체가 경매에 붙여진단 말입니다. 결단을 내리세요! 다른 방법은 없습니다. 정말이에요. 이것도 다 제가 부인을 생각해서 짜낸 거랍니다.

피르스 – 옛날에는 사오십 년 전만 해도 버찌를 절여 잼을 만들었죠. 그리고……

가예프 - 조용히 해, 피르스!

피르스 - 그리고 말린 버찌를 몇 대의 짐마차에 실어 모스크바나 하르코프로 보냈죠. 굉장한 돈이었어요! 말렸다고는 하지만, 몹시 부드럽고, 촉촉하고, 달고, 향기로웠어요. 그 당시에는 만드는 방법을 잘 알고 있었으니까요.

라네프스카야 - 그 방법은 지금 어떻게 됐지?

피르스 - 잊어버렸어요. 아무도 알고 있는 사람이 없어요.

피시치크 - (라네프스카야에게) 파리에서는 어땠습니까? 달팽이 요리는 먹어 보셨나요?

라네프스카야 - 악어 요리를 먹었어요.

피시치크 - 세상에!

로파힌 - 지금까지는 시골이라고 하면 지주와 농민밖에 없었습니다만, 요즘에는 별장족이라는 것이 나타났습니다. 어떤 마을에도, 아무리 작은 마을이라도 온통 별장 천지죠. 이대로 나가면, 20년 후에는 아마 굉장한 숫자가 될 거예요. 지금이야 발코니에서 차를 마시는 것이 고작이지만, 언젠가는 3천 평의 땅으로 농사를 지을지도 모르죠. 그렇게 되면, 댁의 벚꽃 동산도 풍요한 지상천국이 될 수도 있다는 말입니다.

가예프 - (분개해서) 도대체 무슨 소릴 하고 있는 거야!

바랴, 야샤 등장

바 랴 - 어머니, 전보가 두 통 와 있어요. (열쇠 꾸러미에서 하나를 골라 소리내어 낡은 책장을 연다)

라네프스카야 - 파리에서 온 거루구나. (자세히 읽지두 않구, 두 통

모두 찢어 버린다) 이제 파리하고는 인연을 끊었으니…….

가예프 - 류바, 이 책장이 언제 만들어졌는지 아니? 제일 밑 서랍의 연호를 보니, 꼭 백 년 전이더구나. 비록 생명이 없는 것이지만, 백 주년을 기념해서 뭐라도 해야 할 것 같구나!

피시치크 - (놀라서) 오, 백 년이라……. 이거, 굉장하군!

가예프 - 그럼, 굉장한 거지. (책장을 만져 보며) 친애하고 존경하는 책장이여! 이제 백 년 이상의 세월에 걸쳐, 끊임없이 선과 정의의 빛나는 이상을 목표로 지내 온 그대에 대해 삼가 경의를 표하노라. 유익한 일로 인도하는 그대의 말없는 호소는 백 년 동안 굽히지 않고, (목멘 소리로) 우리 집안 대대로 미래에 대한 용기와 신념을 보존케 하며, 우리로 하여금 선과 사회적 자각의 이상을 함양케 해 주었노라. (사이)

로파힌 - 그렇지.

라네프스카야 - 여전하시네요.

가예프 - (약간 겸연쩍어하며) 오른쪽으로 밀어, 구석으로! 살짝 대서 한가운데로 밀어 넣어!

로파힌 - (시계를 꺼내 들여다보며) 이제 가야겠군.

야 샤 - (라네프스카야 부인에게 알약을 내준다) 약 드실 시간이에요.

피시치크 - 부인, 약 따위는 들지 마십시오. 해로울 뿐이죠. ……. 이리 줘 보세요. (알약을 받아 입 속으로 넣고, 크바스로 꿀꺽 삼켜 버린다) 자, 없어졌습니다.

라네프스카야 - (어처구니없어 하며) 어머, 제정신이에요?

피시치크 - 모조리 다 먹었습니다.

로파힌 - 잘도 먹는군! (모두들 웃는다)

피르스 - 부활절 때 오셔서는, 오이를 반 통이나 잡수셨습니다……

(중얼거린다)

라네프스카야 – 무슨 말을 저렇게 중얼거리는 거지?

바 랴 – 벌써 저렇게 3년째 중얼거리고 있어요. 우리는 이제 익숙해졌어요.

야 샤 – 늙은이니까요.

샤를로타가 흰 옷을 입고 무대를 지나간다. 마른 몸에 꼭 끼게 입고 있으며, 허리띠에 오페라 글라스를 차고 있다.

로파힌 – 실례합니다, 이바노브나. 아직 인사를 드리지 못했군요. (그녀의 손에 키스하려고 한다)

샤를로타 – (손을 움츠리며) 댁에게 손을 내드리면, 다음에는 팔꿈치, 그 다음에는 어깨, 그 다음에는……. 키스하시려 들 것 같네요.

로파힌 – 오늘은 아무래도 운이 나쁘군. (모두들 웃는다) 이바노브나, 요술 하나 보여 주세요!

라네프스카야 – 그래, 샤를로타, 요술을 보여 줘.

샤를로타 – 안 돼요. 전 지금 졸리거든요. (퇴장)

로파힌 – 그럼, 3주일 후에 뵙겠습니다. (라네프스카야 부인의 손에 키스한다) 안녕히 계십시오. (가예프에게) 그럼, 또 뵙겠습니다. (피시치크와 키스를 나누고) 안녕히 계십시오. (먼저 바랴, 다음에 피르스, 야샤와 악수하고) 떠나고 싶지 않군. (다시 라네프스카야 부인에게) 잘 생각해 보시고, 결론이 나는 즉시 알려 주십시오. 5만 루블은 만들어 드릴 테니까요.

바 랴 – (화난 듯이) 자, 적당히 해 두세요!

로파힌 – 아, 가야죠. 가겠습니다, 가고 말고요. (퇴장)

가예프 - 천한 놈. 아니, 미안, 미안……. 바랴가 그 사람한테 시집간 다고 했나?

바 랴 - 아저씨, 쓸데없는 말씀하지 마세요.

라네프스카야 - 바랴, 그렇게 되면 정말 좋겠구나. 그래도 그 사람 본성은 착하니까.

피시치크 - 사람이야 더할 나위 없이…… 훌륭하죠. 우리 집 다셴카 도…… 그러더군요. (코를 골다가 곧 눈을 뜬다) 그런데, 부인. 죄송 합니다만 돈 좀 빌려 주시겠습니까?……. 2백40루블만……. 내일 이 자를 내야 하거든요.

바 랴 - (깜짝 놀라며) 안 돼요, 없어요!

라네프스카야 - 나는 정말 한 푼도 없어요.

피시치크 - 그러지 마시고요. 꼭 갚겠습니다. 어디선가 갚을 돈이 꼭 나올 거예요. (웃는다) 절대 희망은 버리지 않습니다. 지난번에도 이 제는 틀렸구나, 파멸이구나, 하고 단념하고 있었는데……. 철도가 우 리 집 땅을 지나가는 바람에……. 돈이 굴러 들어왔어요. 그러니 두고 보십시오. 또 무슨 일이 터질 테니까요. 오늘이 아니면 내일이라도 말 이죠……. 다셴카가 20만 루블은 맞힐 테니까요. 그 애는 복권 한 장 을 가지고 있거든요.

라네프스카야 - 커피도 마셨으니, 이젠 잘 수 있겠군.

피르스 - (가예프의 옷을 털면서 훈계조로) 또 바지를 바꿔 입으셨 네. 정말 구제불능이야!

바 랴 - (나직이) 아냐는 자고 있어요. (살며시 창문을 연다) 벌써 해 가 떴네. 안 추워요. 어머니, 저기 좀 보세요. 벗나무들이 얼마나 아 름다운지! 아, 맑고 시원한 이 공기!

가예프 (다른 창문을 연다) 정원이 온통 하얗구나. 어때 류바 샘각나니? 마치 가죽 혁대를 잡아당긴 듯이 곧장 뻗어 달밤이면 하얗게 빛나는 그 가로수길, 잊지 않았겠지?

라네프스카야 – (정원을 내다보며) 아아, 나의 어린 시절! 저 어린이 방에서 자고, 여기서 정원을 내다봤지. 그 때는 행복이 매일 아침 나와 함께 눈을 떴지. 바로 지금 이대로였어. (기쁜 듯이 웃는다) 온통 새하얗구나! 아아, 이 벚꽃들! 음산한 가을과 추운 겨울을 지내고도, 다시 행복에 가득 차 있구나. 아아, 내 가슴과 어깨를 짓누르는 돌이 제거될 수 있다면, 내 과거를 깨끗이 잊어버릴 수만 있다면 얼마나 좋을까!

가예프 – 그래. 하지만 이 정원도 곧 경매에 붙여지는구나! 하는 수 없지.

라네프스카야 – 어머, 저기 좀 보세요. 돌아가신 어머니가 정원을 걸어가고 계세요. 하얀 옷을 입으시고! (기쁜 듯이 웃는다) 틀림없이 어머니예요.

가예프 – 어디 보자, 어디.

바 랴 – 정신 차리세요, 어머니.

라네프스카야 – 환상이었나 봐. 오른쪽에 있는 하얀 나무가 어머니처럼 보였나 봐.

트로피모프 등장. 낡은 학생복을 입고, 안경을 쓰고 있다.

라네프스카야 – 정말 멋진 정원이야! 저 수많은 하얀 꽃들, 그리고 푸른 하늘⋯⋯.

트로피모프 – 부인! (부인이 그를 돌아본다) 잠깐 인사만 드리고 곧 가겠습니다. (열렬히 손에 키스한다) 아침까지 기다리라는 말을 들었습니다만, 아무래도 참을 수가 없어서…….

라네프스카야는 이상한 듯이 그를 쳐다본다.

바 랴 - (목멘 소리로) 페차 트로피모프예요.
트로피모프 - 페차 트로피모프는 아드님인 그리샤의 가정교사였죠.
제가 그렇게도 달라졌습니까?

부인, 그를 껴안고 소리 없이 흐느껴 운다.

가예프 - (당황하여) 이제 그만 해, 그만 하라니까, 류바!
바 랴 - (울며) 그래서 내가 내일까지 기다리라고 했잖아요.
라네프스카야 - 나의 그리샤……. 내 아들……. 그리샤……. 귀여운
아들…….
바 랴 - 어쩔 수 없었던 일이에요, 어머니. 그것도 모두 하느님의 뜻
이에요.
트로피모프 - (부드럽지만 목이 메인 소리로) 그만 하세요. 이제 그
만 진정하세요, 부인!
라네프스카야 - (조용히 운다) 그 아이는 죽었어. 물에 빠져 죽었
어……. 왜 그렇게 되어야만 했을까! (말소리를 낮추어) 참, 아냐가
아직 자고 있지. 큰 소리를 내다니……. 그런데, 페차! 어머, 이게 웬
일이에요? 왜 이렇게 얼굴이 많이 상했죠? 이렇게 늙어 보이다니!
트로피모프 - 기차 인에서도 어떤 시골 할머니가 그러더군요. '이봐
요, 대머리 나리!'
라네프스카야 - 예전엔 어린애처럼 귀여운 학생이었는데……. 지금

은 머리숱도 적어지고, 안경까지 끼고 있군요. 아직도 대학생인가요? (문 쪽으로 간다)

트로피모프 – 아마 저는 만년 대학생일 겁니다.

라네프스카야 – (오빠와 바랴에게 키스한다) 자, 가서 자도록 해라……. 오라버님도 늙으셨네요.

피시치크 – (부인 뒤를 따른다) 그럼 나도 자야지. 아이고, 이놈의 통풍 다리. 오늘은 댁에서 묵어야겠어요. 어쨌든 부인, 내일 아침에는……. 2백 40루블을 좀…….

가예프 – 저놈은 자기 말만 하는군.

피시치크 – 어쨌든 이자를 내야 하니까요.

라네프스카야 – 피시치크, 난 돈이 없어요.

피시치크 – 꼭 갚아 드릴게요, 부인. ……얼마 되지도 않잖아요?

라네프스카야 – 그럼, 좋아요. 오라버님, 빌려 주도록 합시다.

가예프 – 하는 수 없지. 주머니를 열어 놓고 기다리게!

라네프스카야 – 어서, 내드리세요. 갚아 주겠다잖아요.

라네프스카야 부인, 트로피모프, 피시치크, 피르스 퇴장. 가예프, 바랴, 야샤는 남아 있다.

가예프 – 류바는 여전히 돈을 뿌리고 있군. (야샤에게) 야샤, 제발 좀 저쪽으로 가 있어. 너한테서는 닭 냄새가 나서 도저히 못 참겠어.

야 샤 – (쌀쌀맞게) 그렇게 말씀하시는 나리도 여전하시군요.

가예프 – 뭐? (바랴에게) 이놈이 어디다 대고!

바 랴 – (야샤에게) 어제부터 네 어머니가 와 계셔. 널 보고 가시겠다고 지금 하인 방에서 기다리고 계신다.

야 샤 - 에이, 귀찮아 죽겠군!

바 랴 - 어머나, 무슨 말버릇이야!

야 샤 - 내일쯤 와도 좋을 텐데……. (퇴장)

바 랴 - 어머니는 여전하시군요, 조금도 달라지지 않으셨어요. 내버려 두면, 무엇이고 다 남들에게 주어 버리시겠어.

가예프 - 그렇다니까……. (사이) 병에 걸렸을 때 이런저런 온갖 약을 권할 때는, 그 병이 고칠 수 없는 병이라는 증거지. 이리저리 머리를 짜 보면, 여러 가지 방법이 떠오르거든. 이건 좋은 게 아냐. 너무 많은 것은 하나도 없다는 것과 같으니까. 유산이 굴러 들어오는 것도 좋고, 아냐를 부잣집에 시집보내는 것도 좋고, 야로슬라블리의 백작부인인 큰어머니에게 부탁해 보는 것도 나쁘진 않을 거야. 큰어머니는 굉장한 부자니까 말야.

바 랴 - (운다) 그렇게만 된다면.

가예프 - 그러나 기대는 하지 마라, 바랴. 큰어머니는 굉장한 부자지만, 우릴 좋아하진 않아. 동생이 귀족도 아닌 변호사 나부랭이한테 시집갔다고 말이지.

아냐가 문간에 나타난다.

가예프 - 귀족도 아닌 사람과 결혼한데다, 품행도 그다지 좋았다고는 할 수 없으니까. 물론 착하기는 하지. 친절하고. 하지만 아무리 잘 봐주려고 해도, 품행이 좋지 않다는 것만은 인정하지 않을 수 없어. 이런 짐은 사소한 행동 히나히나에도 나타나거든.

바 랴 - (나직이) 아냐가 문간에 있어요.

가예프 - 뭐라고? (사이) 이상하군. 오른쪽 눈에 뭔가 들어갔어, 잘 안 보이는데. 그래서 목요일에 지방 법원에 가 보니…….

아냐 들어온다.

바 랴 – 아냐, 왜 여태 안 자고 있니?

아 냐 – 잠이 안 와. 잘 수가 없어.

가예프 – 우리 귀염둥이. (아냐의 얼굴과 손에 키스한다) 사랑스런 내 딸……. (목이 메어) 넌, 내 조카가 아니라 내 천사야. 내 모든 것이야. 내 말 믿지?

아 냐 – 믿고 있어요, 아저씨. 모두들 아저씨를 좋아하고 존경하고 있어요. 하지만 아저씨는 잠자코 계셔야 해요. 잠자코 말이에요. 방금 우리 엄마에 대해 뭐라고 하셨죠? 우리 엄만, 아저씨 동생이잖아요. 그런데 왜 그런 말씀을 하세요?

가예프 – 애야, 알았다, 알았어……. (그녀는 한쪽 손으로 자기 얼굴을 가린다) 정말 지겹구나! 나도 참 한심하지! 아까는 책상 앞에서 연설을 했지. 미친 짓이었어!

바 랴 – 그래요, 아저씨. 아저씨는 잠자코 계시는 게 좋아요.

아 냐 – 아저씨가 잠자코 계시면 마음이 안정돼요.

가예프 – 그래, 알았다. (아냐와 바랴의 손에 키스한다) 잠자코 있겠어. 그런데 중요한 얘기가 하나 있어. 목요일에 난 지방 법원엘 갔었지. 우연히 동료들이 모여서 이런저런 얘기를 하는데, 잘하면, 그 어음으로 돈을 꾸어서 은행 이자를 갚을 수 있을 것도 같더구나.

바 랴 – 제발 그렇게만 된다면!

가예프 – 화요일에 가서 다시 한 번 말해 보겠다. (바랴에게) 울지 마라. (아냐에게) 어머니는 로파힌과 상의할 거야. 물론 그 사람이야 거절하지는 않겠지. 그리고 너는 좀 쉰 다음, 야로슬라블리 백작 부인한 테 가 보아라. 네 할머니니까. 이런 식으로 각각 움직이면……, 어떻게든 되겠지. 이자 정도는 갚을 수 있을 거야. (얼음사탕을 입 안에 넣는다) 어쨌든, 이 영지만은 절대로 팔면 안 돼! (흥분하여) 내 행복을 걸고 맹세하지! 자, 이 손이 증인이야. (한 손을 상대편에게 내민다) 만약 내가 경매에 붙여지게 내버려 둔다면, 그 때야말로 나를 건 날이라든가, 싸림지한 놈이라고 밀해도 좋다! 나의 모든 존재를 걸고 맹세하지!

아 냐 – (마음이 진정되어 행복해한다) 아저씨는 참 좋은 분이세요. 그리고 현명하시고! (아저씨를 껴안는다) 이제야 겨우 안심했어요! 이제 안심이에요.

피르스 등장

피르스 – (비난하듯이) 나리, 벌을 받으실 겁니다. 언제 주무시려고 그러십니까?

가예프 – 아, 자야지. 물러가도 좋아, 피르스. 나 혼자서 옷을 갈아입을 테니까. 그럼 애들아, 잘 자거라. 자세한 얘기는 내일 하자꾸나. (아냐와 바랴에게 키스한다) 나는 80년대의 사람이야……. 물론 좋은 시대는 아니었지만, 신념을 위해 나도 적잖은 고통을 맛보았지. 농민을 알아야 해! 도대체 그들이 어떠한…….

아 냐 – 아저씨 또!

바 랴   아저씨, 잠자코 게세요.

피르스 – (화난 듯이) 나리!

가예프 – 알았다. 알았어. 가겠다고, 가겠어……. 두 사람 다 자도록

해. 투 쿠션으로! 한가운데로! 멋지게 쳐 넣어야지. (퇴장. 피르스 종
종걸음으로 뒤따른다)

아 냐 - 이젠 안심이야. 야로슬라블리 따위엔 가고 싶지 않아. 그 할
머니는 싫은걸, 뭐. 하지만 어쨌든 숨은 돌렸어. (앉는다)

바 랴 - 이제 그만 자야지. 그렇지, 네가 없는 동안 좋지 못한 일이
있었어. 너도 알다시피 저 낡은 하인 방에는 늙은 하인들만 있잖니?
에피뮤시카라든가 폴랴라든가 예브스치그네이라든가 말이야. 그런데
그 사람들이 언제부턴가 부랑자들을 끌고 와서 재워 주기 시작했어.
나는 묵인해 주었지. 그런데 들리는 말에 의하면, 내가 그 사람들한테
완두만 먹인다는구나! 내가 구두쇠라 그렇다는 거야. 난 알고 있었지.
그건 모두 예브스치그네이가 꾸민 짓이란 걸. 해서, 나는 예브스치그
네이를 불렀어. (하품을 한다) 그가 나타나자……. '예브스치그네이,
왜 그렇게 바보 같은 짓을 했지?' 하고 말했지. (아냐를 보고) 아니치
카……, (사이) 잠들었네. (아냐의 팔을 부축하고) 자, 침대로 가자꾸
나. 자, 가자. (데리고 간다) 내 착한 아기! (두 사람 걸어간다)

멀리 정원 너머에서 목동이 갈대 피리를 분다. 트로피모프가 무대를
지나가다가, 바랴와 아냐를 보고 걸음을 멈춘다.

바 랴 - 쉿!……. 애는 자고 있어요. 자, 가자꾸나, 우리 귀염둥이.

아 냐 - (나직이 꿈꾸듯이) 언니, 난 몹시 피곤해. 아직도 마차의 방
울이 울리고 있어. 아저씨……. 좋은 분이시지. 엄마도, 아저씨도…….

바 랴 - 그래, 아니치카. 가자꾸나……. (아냐의 방으로 들어간다)

트로피모프 - (감격하여) 오오, 태양! 나의 청춘!

—막—

제2막

야외. 오래 전에 버려진 낡고 조그만 예배당이 있고, 그 옆에는 우물이 있다. 원래는 묘비였음직한 커다란 바위가 몇 개 놓여 있다. 한쪽에 높이 솟은 포플러가 검은빛을 띠고 있다. 거기서부터가 벚꽃 동산이다. 날씨가 좋을 때면, 멀리 전신주가 열을 지어 있는 모습과, 더 멀리 지평선에 있는 커다란 도시가 희미하게 보인다. 해질 무렵.

샤를로타, 야샤, 두냐샤가 벤치에 앉아 있고, 그 옆에서 에피호도프가 기타를 치고 있다. 모두 생각에 잠겨 있다. 샤를로타는 챙 있는 낡은 모자를 쓰고, 어깨에서 총을 내려 멜빵을 고치기 시작한다.

샤를로타 - (생각에 잠겨) 나는 제대로 된 신분증이 없어서, 내가 몇 살인지도 몰라요. 나이를 잊고 살아, 언제나 자신이 젊은 것처럼 느끼고 있죠. 어렸을 때, 아빠랑 엄마는 이 시장, 저 시장을 전전하며 공연을 하셨어요. 제법 벌이가 괜찮았죠. 나는 공중곡예도 했어요. 아빠랑 엄마가 죽자, 어느 독일 부인이 나를 가르쳤대요. 덕분에 이렇게 가정교사가 됐고요. 그러나 난 내가 누구인지 도무지 알 수가 없어요……. 부모님이 어떤 사람이었는지, 정식 부부였는지, (주머니에서 오이를 꺼내어 먹는다) 아무것도 몰라요. (사이) 얘기도 하고 싶지만 말상대도 없고……. 나한테는 아무도 없으니까요.
에피호도프 - (기타를 치면서 노래한다) 덧없는 세상을 버린 이 몸에게 친구도 원수도 무엇하리오……. 만놀린을 타는 것노 좋은데!
두냐샤 - 그건 기타예요. 만돌린이 아녜요. (작은 거울을 들여다보며

얼굴에 분을 바른다)

에피호도프 – 사랑에 미친 사나이에게는 이것도 만돌린이지. (노래한다) 서로가 사랑의 불꽃으로 가슴이 불타오른다면…….

야샤 함께 부른다.

샤를로타 – 노래 한 번 끝내 주는군! 아유, 우스워! 마치 들개들 같네.

두냐샤 – (야샤에게) 어쨌든 외국에 가게 되어, 정말 다행이군요.

야 샤 – 그야 물론이지. (하품을 하고 여송연을 피운다)

에피호도프 – 그렇지. 외국에서는 모든 것이 오래 전부터 이루어졌으니까.

야 샤 – 물론이지.

에피호도프 – 나는 진보된 사람이라 여러 가지 훌륭한 책을 읽고 있지. 그런데 그러면서도 내가 무엇을 바라고 있는지, 다시 말해서, 내가 살아야 하는지, 자살해야 하는지 도무지 알 수가 없다는 거야. 또 그럼에도 불구하고 나는 언제나 권총을 가지고 다니거든. 이렇게 말이야. (권총을 꺼내 보인다)

샤를로타 – 오, 에피호도프, 당신은 머리가 무척 좋고, 무서운 사람이군요. 여자들이 반할 만해요. 이거, 떨리는데! (걸어간다) 재사라든가 재주가 있다는 사람들은 하나같이 이런 바보들뿐이야. 도무지 말상대가 있어야 말이지. 언제나 외톨이야, 외톨이. 난 무엇 때문에 태어났는지, 그것도 알 수가 없다니까……. (천천히 퇴장)

에피호도프 – 결국 말이죠 유명은 무자비하고 잔인한 폭풍이 조각배를 이리저리 떠미는 것처럼 나를 희롱하고 있어요. 그게 아니라면, 오늘 아침 잠을 깼을 때, 굉장히 큰 거미가 왜 내 가슴 위에 올라와 있었을까요?……. 이런 놈이 말이죠. (두 손으로 크기를 나타내 보인다) 또, 크바스를 마시려고 보면, 바퀴벌레와 같은 놈이 왜 내 잔에 들어 있어야 하는 거냐고요. (사이) 당신은 버클리(19세기 영국의 역사가)를 읽은 적이 있나요? (사이) 실은 두냐샤 양, 한두 마디 더 물어볼 것이 있는데요.

두냐샤 – 네, 말씀해 보세요.

에피호도프 – 저, 둘이서만 말하고 싶은데요……. (한숨을 쉰다)

두냐샤 – (당황해서) 좋아요. 하지만 그 전에 제 외투 좀 가져다 주시겠어요? 양복장 옆에 있어요. 공기가 차가운 것 같아서…….

에피호도프 – 네, 좋습니다. 가져오죠……. 자, 이제야 이 권총을 어떻게 하면 좋을지 알겠군. (기타를 가볍게 치면서 퇴장한다)

야 샤 – 스물두 가지 불행이라! 우리끼리 말이지만, 바보 같은 녀석이군. (하품을 한다)

두냐샤 – 권총 자살이라도 하면 어떡해요? (사이) 사실, 저는 요즘 아주 불안해요. 어릴 적에 이 댁에 와서, 이제는 하녀 생활은 다 잊어버렸어요. 손도 이처럼 고와져 마치 아가씨 손같이 되어 버렸죠. 마음도 사치스러워져서 이제 어떤 것에 대해서도 겁이 나요. 저는 두려워요. 그러니 야샤, 만약 당신에게 버림이라도 받는다면, 아마 정신이 나가 버릴지도 몰라요.

야 샤 – (키스해 주고) 내 귀염둥이! 물론 처녀는 자신을 소중하게 간직해야 돼. 내가 제일 싫어하는 것도 행실 나쁜 처녀라는 거, 알지?

두냐샤 – 당신이 너무 좋아요. 교양 있고, 무엇이든 다 알고 계시니까요. (사이)

야 샤 - (하품을 하고) 그래, 처녀가 어떤 사람을 좋아한다면, 그것은 벌써 행실이 좋지 못하다는 증거지. (사이) 깨끗한 공기 속에서 여송연을 피우는 것도 괜찮군! (귀를 기울이며) 누가 오는군……. 마님들이야.

두냐샤가 갑자기 그를 껴안는다.

야 샤 - 어서, 집으로 돌아가. 강에 목욕이라도 하러 갔던 것처럼 이쪽 오솔길로 가요. 잘못하다 마님들과 마주치게 되면, 내가 마치 너하고 밀회라도 한 듯이 보실 테니. 그렇게 되면 난처해지거든.
두냐샤 - (살짝 기침을 한다) 담배 연기 때문에 머리가 아파요. (사이)

야샤는 예배당 옆에 앉는다. 라네프스카야 부인, 가예프, 로파힌 등장.

로파힌 - 빨리 결정을 내리십시오. 시간은 기다려 주지 않습니다. 간단한 걸 가지고 왜 그러시나요? 이 땅을 별장지로 내놓는 데 찬성하시는지, 그 한 마디만 말해 주시면 되는데…….
라네프스카야 - 누가 여기서 고약한 여송연을 피웠을까? (앉는다)
가예프 - 철도가 생겨 아주 편리하군. (앉는다) 이렇게 읍내로 가서 점심을 먹고 돌아올 수 있으니 말이야. 노란 공은 한가운데로! 집에 가서 한 게임하고 싶은걸?
라네프스카야 - 조금 있다가요.
로파힌 - 꼭 한 말씀만! (애원하듯이) 한 마디만 해 주십시오!

가예프 - (하품을 하며) 뭘 말인가?

라네프스카야 - (돈주머니를 들여다보고) 어제는 돈이 좀 있었는데, 오늘은 얼마 없군. 바랴는 어떻게든 줄이려고, 우리에게는 크림 수프를 주고, 부엌 늙은이들한테는 완두만 먹이고 있다는데, 나는 쓸데없이 돈을 쓰고 있으니……. (돈주머니를 떨어뜨려, 금화가 흩어진다) 이런, 흩어져 버렸네! (화난 듯이)

야 샤 - 가만 계십시오. 제가 주워 드리겠습니다. (금화를 줍는다)

라네프스카야 - 고마워, 야샤. 점심을 먹으러 왜 읍내까지 갔을까? 오라버님이 추천하신 그 너저분한 레스토랑. 음악이 연주되었는지는 모르겠지만, 식탁보에선 비누 냄새가 났어요. 그런데 왜 그렇게 많이 마셔요, 로냐? 왜 그렇게 많이 먹고, 말을 많이 했어요? 오늘 오라버님은 줄곧 떠들어 댔지만, 모두 영문 모를 말들뿐이었어요. 70년대가 어땠다느니, 데카당이 어쨌다느니 하면서 말예요. 게다가 말상대는 또 어떻고요! 보이를 붙잡고 데카당론을 펴시다니!

로파힌 - 그랬군요.

가예프 - (한 손을 내저으며) 그 버릇은 도무지 고칠 수가 없어. 도무지 안 된단 말이야. (짜증을 내며 야샤에게) 넌 왜 항상 귀찮게 붙어 다니는 거냐?

야 샤 - (웃는다) 저는 나리 음성만 들으면 웃음이 나와요.

가예프 - (동생에게) 내가 나가든지, 이 녀석이 나가든지 해야지 원.

라네프스카야 - 저리 가 있어, 야샤. 자, 빨리!

야 샤 - (부인에게 돈주머니를 준다) 네, 가겠습니다. (애써 웃음을 참으며) 네, 나가요. (퇴장)

로파힌 - 부인의 영지는 돈 많은 델리가노프가 사려 하고 있습니다. 경매 당일날 아마 그가 직접 나올 거라고 합니다.

라네프스카야 – 어디서 들으셨어요?

로파힌 – 읍내에서요. 소문이 자자해요.

가예프 – 백모님이 돈을 보내 주겠다고는 하셨지만, 언제, 얼만큼 보내 주실는지…….

로파힌 – 어느 정도 보내 주실까요? 10만? 20만?

라네프스카야 – 글쎄요……. 기껏해야 만이나 만 5천이겠죠. 그 정도로 은혜를 입게 되다니!

로파힌 – 실례지만, 당신들처럼 분별없고, 세상 일을 모르는 분들은 본 적이 없습니다. 댁의 영지가 경매에 붙여졌다고 분명히 러시아 어로 말씀드렸는데도 이해하지 못하시나 보군요.

라네프스카야 – 도대체 어떻게 하면 좋을까요? 가르쳐 주세요. 어떻게 하면 되나요?

로파힌 – 그러니까 매일 가르쳐 드리고 있지 않습니까? 매일 매일 한 가지씩 말씀드리고 있는 겁니다. 벚꽃 동산도, 택지도, 모든 것을 별장지로 빌려 주어야 하고, 지금 당장 서두르지 않으면 안 되며, 경매가 바로 눈앞에 다가왔다고요. 아시겠습니까? 별장지로 임대하겠다는 결정만 내리시면, 돈 낼 사람은 얼마든지 있다니까요! 그러면 모든 게 해결되는 겁니다.

라네프스카야 – 별장과 별장객이라……. 실례지만 왠지, 속된 느낌이 드는군요.

가예프 – 나도 그래.

로파힌 – 아, 울어 버리거나, 고함치든가, 아니면 쓰러질 것 같군. 도저히 참을 수가 없어! 당신들 덕분에 난 완전히 지쳐 버렸어요! (가예프에게) 당신은 꼭 할멈 같군요.

가예프 – 뭐라고?

로파힌 – 할멈 같다고요! (가려고 한다)

라네프스카야 – (두려워하며) 아니, 가지 마세요. 무슨 좋은 생각이 날지도 몰라요.

로파힌 – 아니오, 더 이상 좋은 생각은 나지 않습니다.

라네프스카야 – 제발 가지 말아요. 그래도 당신이 계시면 마음이 놓여요. (사이) 꼭 무슨 일이라도 생길 것 같아 불안해요. 지금이라도 당장 집이 무너져 내릴 것만 같아요.

가예프 – (생각에 잠겨) 투 쿠션으로 구석으로……. 교차시켜서 한가운데로…….

라네프스카야 – 하느님께 너무 많은 죄를 지었어요.

로파힌 – 죄라니요? 무슨 죄 말입니까?

가예프 – (얼음사탕을 입에 넣고) 사람들은 내가 이 얼음사탕으로 전 재산을 털어먹었다고 하지. (웃는다)

라네프스카야 – 아아, 나는 죄 많은 여자예요……. 제멋대로 돈만 써버리는 내가, 빚지는 재주밖엔 없는 사람에게 시집을 갔죠. 남편은 술 때문에 죽었어요. 게다가 한 술 더 떠 나는 남편 아닌 다른 남자를 사랑하게 되어, 그 남자와 살았어요.

그리고 그 때 나에게 첫 번째 심판이 내려졌죠. 나의 귀여운 아들, 그리샤가 물에 빠져 죽었어요. 그리고 난 도망쳤어요, 외국으로요. 다시는 아들을 삼켜 버린 그 강물을 보지 않으려고요. 다시는 돌아오지 않으리라 생각하며 정신없이 도망갔지요…….

그런데, 그 사람은 뒤쫓아왔어요. 내가 망통 부근에 별장을 산 것도 그 사람이 그 곳에서 병이 났기 때문이에요. 그 후로 나는 꼬박 3년 동안 밤낮으로 그를 보살폈어요. 쉴 틈도 없었죠. 환자에게 시달려 마음까지 메말라 갔지요. 돈은 돈대로 들고요. 결국 작년에 별장이 넘어

가고 말았어요. 나는 모든 걸 포기하고 파리로 갔어요.

그런데 그 사람은 어느 정도 회복되자, 날 버리고 딴 여자에게 가 버렸어요. 난 정말 살고 싶지 않았어요. 내 신세가 너무 한심하고 비참해서 얼굴을 들고 다닐 수가 없었죠.

그런데 어느 순간, 난 이 곳으로 오고 싶어졌어요……. 러시아로, 고향으로, 나의 딸이 있는 곳으로 말예요! 너무 그리웠어요. (눈물을 닦는다) 히느님, 이이, 히느님. 제게 지비를 베풀어 주소서! 이보다 더한 벌을 또 받는다면, 아아! (주머니에서 전보를 꺼내어) 오늘 파리에서 온 그 사람의 전보예요. 용서해 달라고, 돌아와 달라고 하는군요. (전보를 찢어 버린다) 어디서 음악 소리가 들리는군요. (귀를 기울인다)

가예프 – 이 곳에서는 아주 유명한 유대 인 악단의 음악 소리지. 기억하니? 바이올린이 네 개에다 플루트하고 콘트라베이스…….

라네프스카야 – 아직도 있어요? 저 악단을 불러 야유회를 열어야겠어요.

로파힌 – (귀를 기울인다) 들리지 않는데요……. (나직이 읊는다) '돈을 위해서라면 독일 사람은 러시아 사람을 프랑스 사람으로도 만든다네.' (웃는다) 어제 본 연극은 정말 우스웠죠.

라네프스카야 – 아마 조금도 우습지 않았을 것 같은데요. 연극을 볼 필요가 뭐 있어요? 자기 자신을 보면 될 텐데요……. 당신의 삶은 너무 따분해요. 쓸데없는 말만 늘어놓으시고.

로파힌 – 하긴 그래요. 솔직히 말씀드려서 제 생활이라는 것이 단순하기 짝이 없죠. (사이) 우리 아버지는 농사꾼이었어요. 나를 학교에 보내지도 않고, 술에 취해 매일 나를 때렸어요. 이만한 몽둥이로요. 그리고, 저 역시도 멍청이죠. 배운 게 아무것도 없으니까요. 글을 쓰라고 하면, 너무 창피해서 남 앞에 내놓을 수도 없을 정도랍니다.

라네프스카야 – 당신은 어서 좋은 사람과 결혼하셔야겠네요.

로파힌 – 네, 맞는 말입니다.

라네프스카야 – 우리 집의 바랴 어때요? 참, 괜찮은 아이죠.

로파힌 – 네, 그래요.

라네프스카야 – 그 아이도 농부 집에서 데려왔는데, 어찌나 일을 잘 하는지……. 그애는 당신을 사랑하고 있어요. 당신도 그 애를 좋아하시죠?

로파힌 – 네, 물론. 바랴는 좋은 처녀예요. (사이)

가예프 – 은행에 말해 주겠다는 사람이 있는데 말이야, 연수 6천 루블이라는데…….

라네프스카야 – 그럴 리가요! 오라버니, 제발 가만히 계셔 주세요.

피르스 등장. 가예프의 외투를 가져온다.

피르스 – (가예프에게) 자, 나리, 입으십시오. 날씨가 축축해서…….

가예프 – (외투를 입는다) 자네한테는 정말 질렸어, 피르스.

피르스 – 원, 나리도……. 오늘 아침에도 아무 말씀 없이 그대로 나가셨죠? (그를 살펴본다)

라네프스카야 – 피르스! 자네도 많이 늙었어.

피르스 – 뭐라고요?

로파힌 – 자네가 많이 늙었다고!

피르스 – 오래 살았으니까요. 언젠가 제 신붓감 얘기가 나왔을 때, 마님의 아버님이 아직 세상에 태어나지도 않으셨을 때였습죠. (웃는다) 해방령(1861년에 공포된 농노해방령)이 나왔을 때, 저는 이미 하인 감독이 되어 있었습죠. 그 때 저는 자유민을 마다하고 계속 일했습니다. (사이) 그 땐 모든 게 재미있고 즐거웠습죠. 무엇이 재미있었는지도 모르면서 말입니다.

로파힌 – 옛날엔 정말 좋았겠죠. 마음대로 때릴 수 있었을 테니.

피르스 – (잘 알아듣지 못하고) 그렇고말고요. 옛날엔 나리가 계심으로써 농부가 있었고, 농부가 있음으로써 나리가 계셨으니까요. 그런데 지금은 온통 뒤죽박죽이 되어 뭐가 뭔지도 모르겠어요.

가예프 – 잠깐 기다려, 피르스. 내일은 읍내로 가야 해. 어느 장군을 소개받기로 되어 있어. 그 장군이 어음으로 돈을 융통해 줄 듯하니까…….

로파힌 – 아무 소용 없습니다. 이자도 물지 못하실 테니, 그저 가만히 계십시오.

라네프스카야 – 무슨 잠꼬대 같은 소리예요? 장군은 무슨 장군이야?

트로피모프, 아냐, 바랴 등장

가예프 – 아, 모두들 나오는군.

아 냐 – 어머니, 여기 계셨군요.

라네프스카야 – (정답게) 이리들 오너라, 내 귀염둥이들……. 너희를 얼마나 사랑하고 있는지……. 그래, 그렇게들 앉아, 옳지.

모두 앉는다.

로파힌 – 우리의 만년 대학생 선생은 언제나 아가씨들에 둘러싸여 다니시는구

트로피모프 - 그게 무슨 상관이요?

로파힌 - 이 사람은 내일모레 쉰 살이 되는데도 여전히 대학생이지.

트로피모프 - 농담을 하려면 제대로 해요.

로파힌 - 그렇게까지 화낼 필욘 없잖아? 이상한 사람이군.

트로피모프 - 가만히 있는 사람, 건드리지 말아요!

로파힌 - (웃는다) 그럼, 한 가지만 묻지. 당신은 나를 어떻게 생각하오?

트로피모프 - 예르몰라이 알렉세예비치, 당신은 부자고, 이대로 간다면 곧 백만장자가 될 거요. 동물의 세계에선 맹수가 필요하지. 무엇이든 닥치는 대로 잡아먹는 놈 말이오. 말하자면, 당신은 그런 존재라고 할 수 있지.

모두들 웃는다.

바 랴 - 페차, 당신은 별 얘기를 할 때가 제일 당신다워요.

라네프스카야 - 그래, 페차. 어제 하던 얘기를 계속해 봐요.

트로피모프 - 제가 무슨 얘길 했었죠?

가예프 - 긍지에 대해서였지.

트로피모프 - 아, 그래요. 오랫동안 얘기했지만, 결국 결론을 내지 못했지요. 당신은 어제 '긍지'라는 것에는 뭔가 신비로운 게 있다고 하셨어요. 전혀 틀린 얘기는 아니에요. 하지만 가만히 생각해 보면, 그 '긍지'라는 것이 의심스러워지죠. 사람이란 참 약한 존재예요. 그 사람이 처한 환경이 비참하다면, 도대체 '긍지'라는 것이 무슨 의미가 있겠습니까? 그런 쓸데없는 것에 신경을 쓰느니, 생활의 방편을 구하는 '일'이 더 중요해지는 법이에요.

가예프 - 이러나 저러나 어차피 죽기는 마찬가지 아닌가.

트로피모프 - 아뇨, 그렇지 않습니다. 죽는다는 것이 도대체 뭡니까? 사람에게는 백 개의 감각이 있을지도 모르죠. 죽는다는 것은 어쩌면, 우리가 알고 있는 다섯 개의 감각만이 없어지는 것이 아닐까요? 그렇다면, 나머지 아흔다섯 개는 살아 있는 셈이죠.

라네프스카야 - 오, 페차! 정말 똑똑하기도 하지!

로파힌 - (비꼬듯이) 오, 훌륭하구먼!

트로피모프 - 인류는 차츰 자기의 힘을 길러 가게 되어 있어요. 지금은 미처 모르고 있는 것이라 해도, 언젠가는 알게 되겠지요. 하지만 그러기 위해서는 일하지 않으면 안 됩니다. 연구해야 한다고요. 그래서 우리는 진리를 탐구하는 사람들을 도와주어야 합니다.

지금 우리 러시아에서는 아주 적은 수의 사람들이 일하고 있어요. 지식인이라는 작자들은 대부분 아무 일도 안하고 있고요. 자기 스스로는 인텔리라고 하면서도 하인이나 농민들에게 함부로 대하죠. 그렇다고 공부를 제대로 하는 것도 아니고, 그저 입으로만 과학이니, 예술이니 나불거리고 있다, 이겁니다. 하지만 그들이 아는 건 아무것도 없죠. 모두 진지한 체하며, 아주 엄숙한 표정으로 철학을 늘어놓고 있는데, 이건 모두 자기 기만이에요. 그들이 그토록 번지르르하게 떠드는 도서실은 어디 있나요? 사회시설인 탁아소는 어디 있나요? 그것은 소설에나 나올 뿐이에요. 난 그들의 그 진지한 표정이 싫습니다. 차라리 가만히 있는 편이 나아요.

로파힌 - 나는 매일 새벽 네 시만 되면 일어나서, 아침부터 밤까지 죽도록 일합니다. 그런데, 일을 하면 할수록 주위 사람들이 싫어집니다. 어떤 일을 하다 보면, 세상에 정직하고 참된 인간이 얼마나 귀한가 하는 것을 금방 알게 되죠

그래서 나는 자기 전에 '하느님, 당신은 참으로 울창한 숲과, 끝없는 들과, 지평선을 주셨습니다. 이런 거대한 곳에 사는 이상, 우리도 구름을 찌를 듯한 거인이어야 하지 않을까요?' 하고 묻곤 한답니다.

라네프스카야 - 어머, 거인이 된다고요? 정말로 그렇다면 얼마나 무서울까!

무대 안쪽으로 에피호도프가 기타를 연주하며 지나간다.

라네프스카야 - (생각에 잠긴 어조로) 에피호도프가 기타를 치는군.

가예프 - 여러분, 이제 어두워졌어요.

트로피모프 - 그렇군요.

가예프 - (나직이 낭독조로) 오오, 자연이여. 영묘한 그대여, 그대는 불멸의 광명에 빛나도다. 우리가 어머니로 우러러보는 아름답고 싸늘한 그대는, 자신 속에 삶과 죽음을 결합시키는도다. 그대는 삼라만상을 낳고, 삼라만상을 멸망시키도다…….

바 랴 - (애원하듯이) 아저씨!

아 냐 - 또 시작이시군요!

트로피모프 - 그냥, 노란 공으로 투 쿠션을 하시는 게 차라리 낫겠어요.

가예프 - 알았어, 알았어. 그만두마.

모두 생각에 잠긴다. 고요하다. 피르스가 나직이 중얼거리는 소리만 들릴 뿐. 갑자기 멀리서 마치 하늘에서 울리는 듯한 소리가 난다. 그것은 줄이 끊어진 듯한 소리로 차츰 구슬프게 사라져 간다.

라네프스카야 – 무슨 소릴까?

로파힌 – 모르겠는데요. 어디 광산에서 윈치(밧줄이나 쇠사슬을 감았다 풀었다 함으로써 물건을 옮기는 기계를 일컬음)의 줄이라도 끊어진 모양입니다. 상당히 먼 곳인 것 같군요.

가예프 – 어쩌면 새일지도 모르지. 왜가리 같은 것이 날아오는 게 아닐까?

트로피모프 – 올빼미가 아닐까요?

라네프스카야 – (몸을 떨며) 왠지 소름이 끼치는군. (사이)

피르스 – 그 불행이 있기 전에도 이랬습죠. 부엉이도 울고, 사모바르(러시아 전래의 특유한 주전자)도 노상 덜거덕거렸죠.

가예프 – 그 불행이라니?

로파힌 – 농노해방령 말입니다. (사이)

라네프스카야 – 이제 안으로 들어가야겠어요. 날이 저물었어요. (아냐에게) 어머, 눈물마저 글썽이고……. 왜 그러니, 아냐? (껴안는다)

아 냐 – 아무것도 아니에요, 어머니. 그저 좀…….

트로피모프 – 누가 오는데?

낡은 외투와 차양모 차림의 술 취한 부랑자 등장.

부랑자 – 여기로 곧장 가면 정거장으로 갈 수 있습니까?

가예프 – 이 길을 따라 죽 가시오.

부랑자 – 대단히 감사합니다. (기침을 하고) 날씨가 참 좋군요. (낭독조로) 동포여, 고민하는 동포여……. 나와서 보라, 볼가 강변으로, 들리는 것은 누구의 신음인가(네크라소프의 시에서)……. (바랴에게) 아가씨, 이 굶주린 백성에게 30코페이카만 적선해 주십시오……,

바랴, 겁이 나서 소리를 지른다.

로파힌 – (화가 나서) 버릇이 없어도 정도가 있지.
라네프스카야 – (조심스럽게) 자, 여기 있어요……. (돈주머니 속을 뒤진다) 은화가 없네. 할 수 없군. 자, 이 금화를 받아요.
부랑자 – 대단히 감사합니다. (퇴장)

웃음

바 랴 – (어처구니없어 하며) 어머니! 집안 사람들에게 먹일 것도 부족한 판인데……. 저런 부랑자에게 금화를 주시다니!

라네프스카야 - 나는 바보라 할 수 없구나! 집에 돌아가면 내가 가진 것 전부를 넘겨주마. 예르몰라이 알렉세예비치, 좀더 돌려주셔야겠어요.

로파힌 - 좋습니다.

라네프스카야 - 자, 여러분, 이제 들어가죠. 늦었어요. 참, 그렇지! 바랴, 아까 여기서 네 혼담을 정했단다. 축하한다, 애야.

바 랴 - (목이 메어) 농담하지 마세요, 어머니.

로파힌 - 오프멜리아(오필리어를 일부러 오스트롭스키의 유명한 연극의 등장 인물 이름을 흉내내어 부른 것), 자, 어서 수녀원으로나 가시지…….

가예프 - 오랫동안 당구를 치지 않았더니 손이 다 떨리는군.

로파힌 - 오프멜리아! 오오, 물의 요정이여, 나를 위해 기도해 주오!

라네프스카야 - 여러분, 어서 가요. 저녁식사 시간이 다 됐어요.

바 랴 - 그 부랑자 때문에 정말 놀랐어요.

로파힌 - 여러분, 다시 한 번 말씀드립니다만, 8월 22일에는 이 벚꽃 동산이 경매에 붙여집니다. 잘 생각해 두십시오……. 잘 생각하셔야 합니다.

트로피모프와 아냐만 남기고 모두 퇴장.

아 냐 - (웃으면서) 그 부랑자한테 감사해야겠군요. 바랴를 놀라게 한 바람에 겨우 당신과 단둘이 남게 되었으니까요.

트로피모프 - 바랴는 우리가 혹시 사랑하는 사이가 되지나 않을까 해서, 그렇게 매일 아침부터 밤까지 우리에게 붙어다니는 거죠. 바랴로서는 우리가 연애 같은 것을 초월하고 있다는 것이 이해가 안 될 거예요. 우리의 자유와 행복을 방해하는 망상들을 쫓아 버리는 그 날을 위해, 전진합시다, 벗이여! 낙오하지 말라!

아 냐 - (손뼉을 치며) 어머, 참 멋있는 얘기예요! (사이) 여긴 정말 좋죠?

트로피모프 - 그래요. 아주 멋진 곳입니다.

아 냐 - 당신 때문에 난 이상해졌어요, 페차. 예전처럼 벚꽃 동산이 좋지 않아요. 그렇게도 좋아했는데 말예요. 이 세상에 우리 정원만큼 아름다운 곳은 없다고 생각했죠.

트로피모프 - 러시아 전체가 우리의 정원입니다. 대지는 넓고 아름답습니다. 멋진 장소는 얼마든지 있어요. (사이) 생각해 봐요, 아냐. 우리의 할아버지도, 증조 할아버지도 모두 농노제도의 찬미자였죠. 살아 있는 넋을 노예 삼아 기름을 짜냈던 거예요. 이 정원의 벚나무 하나하나, 그 잎과 줄기에 달린 눈들이 당신을 노려보고 있지 않습니까? 그 원성이 들리지 않습니까? (사이) 살아 있는 영혼을 자기 것처럼 부려 먹는 동안, 당신 어머니도 아저씨도 모두 나태해지고, 타락해 갔습니다. 그들의 노고 덕에 살고 있는 줄 모르고 오만과 자만에 빠져 지냈죠. 우리 러시아는 적어도 2백 년은 뒤떨어져 있습니다. 러시아에는 아직 아무것도 없습니다. 철학을 운운하고 우울을 숨기거나 보드카를 마실 뿐이죠. 새로운 미래를 위해서는 과거를 청산해야 합니다. 그러기 위해서 길은 단 하나밖에 없습니다. 그것은 고뇌이고, 노동입니다. 잘 알아 둬요, 아냐.

아 냐 - 지금 이 집은 이미 우리 집이 아녜요. 그러니까 저는 나가겠어요. 맹세해요.

트로피모프 - 만약에 집안 살림의 열쇠를 가지고 있다면, 그것을 내던져 버리고 나오십시오. 우리는 자유로워져야 합니다, 바람처럼.

아 냐 – (감격하여) 아주 멋진 표현이에요!

트로피모프 – 믿어 주십시오, 아냐. 나를 믿어요! 나는 아직 서른 살도 안 됐어요. 풋내기인데다 아직은 학생이지만, 그래도 고생은 해 봤어요! 굶주림과 질병에 시달리고, 거지와 같이 운명이 이끄는 대로 방황도 해 봤어요. 그래도 역시 내 마음은 언제나 뭐라 말할 수 없는 그어떤 예감으로 가득 차 있습니다. 나는 행복을 예감합니다. 나에게는 그것이 보입니다, 아냐.

아 냐 – (생각에 잠긴 얼굴로) 어머, 달이 떴어요.

에피호도프의 쓸쓸한 기타 연주가 들린다. 달이 떠오른다. 어디선가 '아냐! 어디 있니?' 하며 바랴가 아냐를 찾고 있다.

트로피모프 – 그렇군요, 달이 떴군요. (사이) 봐요, 저것이 행복입니다. 점점 다가옵니다. 나에게는 그 발소리가 들립니다. 설사 보이지않고, 다만 예감으로만 온다 해도 무슨 상관입니까? 누군가는 꼭 발견할 겁니다!

바랴의 목소리 – 아냐, 어디 있니?

트로피모프 – 또 바랴로군! (화난 듯이) 정말 지긋지긋해요.

아 냐 – 상관하지 말아요, 페차. 우리 강가로 가요.

트로피모프 – 그럽시다. (두 사람 강가로 걸어간다)

바랴의 목소리 – 아냐! 아냐! 어디 있어?

－막－

제3막

아치 길 안에 있는 홀과 구분된 객실. 샹들리에가 켜져 있다. 다음 방에서 유대 인 악단의 연주가 들린다. 제2막에서 나왔던 그 악단이다. 초저녁, 홀에서는 춤이 한창이다.

곧 '1조씩 행진'이라는 시메오노프 피시치크의 구령이 들리고, 차례차례로 무대에 나온다. 선두는 피시치크와 샤를로타, 두 번째는 트로피모프와 라네프스카야 부인, 세 번째는 아냐와 우체국 직원, 네 번째는 바랴와 역장 등등. 바랴는 춤을 추며 남몰래 울고 있다. 마지막 조에는 두냐샤.

모두들 객실을 한바퀴 돌아서 홀로 들어온다. '큰원 각각 좌우로!', '기사는 무릎을 꿇고, 귀부인에게 사의를 표한다!' 라는 피시치크의 구령이 들린다. 피르스가 연미복 차림으로, 탄산수를 쟁반에 받쳐들고 나온다. 객실에 피시치크와 트로피모프 등장.

피시치크 – 난 다혈질이라 두 번이나 졸도했었지. 해서 춤은 무리지만, 이런 말도 있잖나? 짐승의 무리 속에 섞여 짖지 못하면 꼬리라도 치랬다고. 건강하기만 하다면야 말이 문제겠나. 돌아가신 우리 아버님은, 우리 집안이 아무래도 칼리굴라 황제(로마의 세 번째 황제. 폭군으로 자기 애마에게 원로원 의원의 자리를 주기도 했다)가 원로원 자리에 앉혔던 바로 그 말에서 나온 모양이라고 그러시더군. (걸터앉는다)
하지만 돈이 문제란 말야. 돈이 없다고! 굶주린 개에게는 고기야말로 황금이라지 않나. (코를 골다가 곧 다시 눈을 뜬다) 나도 그래……

돈밖에는 아무 생각이 나지 않는단 말야.

트로피모프 – 그러고 보니, 당신에겐 어딘가 말과 비슷한 데가 있군요.

피시치크 – 하긴 뭐, 말은 좋은 짐승이지. 팔 수도 있거든.

옆방에서 당구치는 소리가 난다. 이 때 홀 아치 아래로 바랴가 나타난다.

트로피모프 – (놀리며) 로파힌 부인! 로파힌 부인!

바 랴 – (약이 올라서) 대머리 총각!

트로피모프 – 그래요, 난 대머리 총각이에요. 그게 오히려 자랑스러워요!

바 랴 – (걱정스럽게) 악단까지 부르시다니! 돈은 어쩔 작정인지 모르겠어! (퇴장)

트로피모프 – (피시치크에게) 당신이 평생 동안 이자 마련에 허비한 힘을 다른 데 쏟았더라면, 아마 지구를 뒤집어도 여러 번 뒤집었을 거예요.

피시치크 – 그 유명한 철학자 니체가 말이야, 그 굉장한 현자가 그의 저서에서 위조지폐를 만들어도 괜찮다고 했다는군.

트로피모프 – 니체를 읽어 봤어요?

피시치크 – 아니 뭐……. 우리 다셴카가 그러더군. 난 지금 위조지폐라도 만들어야 될 지경이란 말이지……. 내일 모레까지 3백 루블을 지불해야 돼. 백 30루블은 거우 마련했지만……. (주머니를 만져 보고 당황해서) 어딨지? (기쁜 듯이) 아, 여기 있군. 옷 안으로 기어 들어갔잖아? 원 세상에, 식은땀이 다 나는군.

라네프스카야와 샤를로타 등장

라네프스카야 - (카프카스의 무곡을 흥얼거린다) 오라버니는 왜 이렇게 늦지? 읍내에서 무얼 하고 있는 걸까? (두냐샤에게) 두냐샤, 악사들에게 차 좀 갖다 줘요.

트로피모프 - 경매가 유찰(입찰한 결과 낙찰되지 못하고 무효가 됨)된 모양입니다.

라네프스카야 - 때가 안 좋아. 악대가 온 것도 그렇고, 무도회도 그렇고……. 하는 수 없지. (앉아서 조용히 노래 부른다)

샤를로타 - (피시치크에게 카드 한 벌을 준다) 자, 어느 것이든 머릿속에서 한 장만 생각하세요.

피시치크 - 생각했습니다.

샤를로타 - 그럼 잘 쳐 주세요. 좋아요. 이리 주세요. 오오, 다정한 피시치크! 아인스, 츠바이, 드라이(하나, 둘, 셋)! 자아, 찾아 보세요. 그 패는 당신 옆 주머니에 있어요.

피시치크 - (옆 주머니에서 카드를 꺼낸다) 스페이드의 팔! 맞아요! (경탄해서) 놀라운걸!

샤를로타 - (손바닥에 카드를 한 벌 얹고, 트로피모프에게) 빨리 말해 줘요, 제일 위의 카드는?

트로피모프 - 뭐요? 음, 스페이드의 퀸.

샤를로타 - 네! (피시치크에게) 그럼 제일 위의 카드는?

피시치크 - 하트의 포인트.

샤를로타 - 네! (손뼉을 친다. 그러자 카드 한 벌이 사라진다)…… 정말 좋은 날씨죠? (이상한 여자의 목소리가 마치 마루 밑에서 울리는 것처럼 대답한다. '네, 정말 좋은 날씨로군요, 아주머니.') 당신은 정말 나무랄 데 없는 나의 이상형이에요……. (목소리가 다시 대답한다. '아주머니, 저도 당신이 제일 좋아요.')

역장 – (박수를 친다) 야아, 복화술(입술을 거의 움직이지 않고 제 목소리와는 다른 목소리를 내어 다른 사람이 말하는 것처럼 느끼게 하는 기술)의 명수, 브라보!

피시치크 – (경탄하며) 이거, 정말! 아니, 당신은 마녀요, 요정이오? 당신한테 반해 버렸어.

샤를로타 – 반했다고요? (어깨를 으쓱해 보이며) 당신이 사랑을 할 줄 알아요?

트로피모프 – (피시치크의 어깨를 두드리며) 정말 바보 같은 말이로군요.

샤를로타 – 그럼 여러분, 한 번 더 요술을 보여 드리죠. (의자에서 체크무늬의 무릎 덮개를 집어 든다) 이건 최고급 나사입니다. 이것을 팔겠습니다……. (흔들어 보인다) 사시고 싶은 분 안 계십니까?

피시치크 (놀라며) 이건 또 뭐야!

샤를로타 – 아인스, 츠바이, 드라이! (늘어뜨린 천을 홱 젖힌다. 그러자 천 뒤에 아냐가 서 있다. 그녀는 무릎을 살짝 굽혀서 절을 하고, 어머니에게로 뛰어가 포옹하고는 모든 사람의 열광 속에 홀로 달려간다)

라네프스카야 – (박수를 치며) 브라보! 브라보!

샤를로타 – 그럼 또 한 번! 아인스, 츠바이, 드라이! (천을 젖히자 뒤에 바랴가 서서 인사한다)

피시치크 – 잘한다!

샤를로타 – 이젠 그만하겠습니다! (천을 피시치크에게 던져 주고, 무릎을 굽혀 인사하고는 홀로 달려가 버린다)

피시치크 – (급히 뒤쫓으면서) 이 악당……. 원 세상에, 별일이군! (퇴장)

라네프스카야 – 그런데 오라버니가 너무 늦는군요. 뭘 꾸물거리고 있는 걸까. 이상한데? 경매가 유찰이 되든, 영지가 팔리든 지금쯤 결판이 났을 텐데, 왜 이렇게 늦을까?

바 랴 – (위로하려고 애쓰며) 아저씨가 낙찰시켰을 거예요, 틀림없어요.

트로피모프 – (냉소하듯) 글쎄요…….

바 랴 – 할머니에게서 아저씨한테로 위임장이 왔잖아요. 할머니 명의로 사서 빚을 다시 떠 안으라고 말예요. 아냐를 위해서죠. 그리고 분명히 그 뜻이 하느님께도 통했을 거예요.

라네프스카야 – 야로슬라블리의 백모님이 당신 이름으로 영지를 사라면서 보내 주신 돈은 만 5천 루블밖에 안 돼, 바랴. 우릴 믿지 못하신 거지. 그까짓 돈으로는 이자도 안 돼. (두 손으로 얼굴을 가린다) 오늘은 내 운명이 결정되는 날이야, 운명이…….

트로피모프 – (바랴를 놀리며) 로파힌 부인!

바 랴 – (골이 나서) 만년 대학생! 벌써 두 번이나 대학에서 쫓겨난 주제에!

라네프스카야 – 왜 화를 내니, 바랴? 이 사람이 로파힌 때문에 너를 놀린다고 해서 그러면 되겠니? 가고 싶으면 로파힌에게 가는 게 좋아. 그 사람은 장래성이 있어. 그리고 만약 싫다면 안 가면 그만이야. 아무도 네게 강요하지 않는단다.

바 랴 – 솔직히 말씀드려, 전 이 일을 진지하게 생각하고 있어요. 그분은 좋은 사람이고, 저도 그분을 좋아하고 있으니까요.

라네프스카야 – 그럼 가면 되잖니. 무얼 망설이는 거냐?

바 랴 – 하지만 어머니, 제 편에서 먼저 그 분에게 청혼할 수는 없잖아요? 사실 2년 동안 모두들 제게 그 사람 이야기를 해 왔어요. 하지만 그 분은 잠자코 있거나, 농담으로 돌리고 마는 거예요. 그것까지도 이해할 수 있어요. 쑥스러워 저러나 보다 하고. 그런데 그 분은 더욱더 돈이 많이 생기고 사업이 바빠지자, 저 같은 건 안중에도 없는 것 같아요. 만약 제게 돈이 있다면, 단돈 백 루블이라도 있다면, 모든 걸 팽개쳐 버리고 수녀원에 들어가 버리겠어요.

트로피모프 – 이거 참 재미있군!

바 랴 – (트로피모프에게) 좀더 대학생답게 행동할 수 없어요? (말투를 부드럽게 하여 우는 목소리로) 왜 그렇게 몸이 야위었어요, 페차? 왜 그렇게 늙고 말았어요? (울음을 그치고 라네프스카야 부인에게) 어머니, 이렇게 일하지 않고 있는 것이 괴로워요. 1분 1초도 뭔가 하지 않고는 정말 못 견디겠어요.

야샤 등장

야 샤 – (웃음을 참으면서) 에피호도프가 큐를 부러뜨렸어요! (퇴장)

바 랴 – 에피호도프가 왜 당구실에 있는 거죠? 누가 당구나 치고 있으라고 했나! 정말 알다가도 모르겠어. (퇴장)

라네프스카야 – 저 애를 놀리지 말아요, 페차. 그러잖아도 고민이 많은 애니까.

트로피모프 – 저 여자는 너무 극성스러워요. 올여름 내내 나도 야냐도 많이 시달렸어요. 두 사람 사이에 로맨스라도 생길까 봐 그런지, 자기가 간섭할 일도 아닌데 내내 우릴 쫓아다녔어요. 우린 연애를 초월했다고요!

라네프스카야 - 그럼, 난 연애 이하로구먼. (심한 불안에 싸여) 그나저나 오라버니가 어쩐 일일까? 영지가 팔렸는지 어떤지 그것만이라도 알 수 있었으면! 정말 모든 것이 거짓말 같아, 도대체 갈피를 잡을 수가 없어. 지금 난 꼭 바보 같은 짓을 할 것만 같아. 나를 도와줘요, 페챠. 뭐든 이야기를 해 줘. 자, 뭐든지 말예요.

트로피모프 - 영지가 오늘 팔리건 안 팔리건 마찬가지 아닙니까? 그것과는 이미 인연이 끊어졌어요. 돌이킬 수 없어요. 다 지나간 꿈이지요. 진정하세요, 부인. 언제까지 자기 자신을 속이실 거죠? 자기에게 좀더 진실해지세요.

라네프스카야 - 진실? 당신에겐 어느 것이 진실이고 거짓인지 분명히 보이겠지만, 난 어쩐지 아무것도 보이지가 않아요. 당신은 아직 젊기 때문에 용감해질 수 있어요. 무서운 게 없지.

그러나 내 입장에서 한 번 생각해 봐요. 난 여기서 태어났고, 아버지도 어머니도 할아버지도 모두 여기서 사셨어요. 난 이 집이 정말 좋고, 무엇보다도 벚꽃 동산은 내게 없어서는 안 될 정말 중요한 것이에요. (트로피모프를 끌어안고 이마에 키스한다). 내 아들도 여기에 빠져 죽었는걸……. (운다) 부디 나를 가련하게 생각해 줘요, 당신은 친절하고 좋은 사람이니까.

트로피모프 - 내가 진심으로 동정하고 있다는 건 부인도 잘 알고 계시잖습니까?

라네프스카야 - 그렇다면, 그런 식으로 날 몰아대지 말아요. (손수건을 꺼내는 틈에 전보가 땅바닥에 떨어진다) 난 오늘 마음이 무거워 못 견디겠어. 이 기분, 당신은 도저히 모를 거야. 바스락 소리만 나도 가슴이 철렁 내려앉아. 온몸이 떨려 오고. 하지만 거실에 틀어박혀 있을 수도 없어. 조용한 곳에 혼자 있는 것은 더 못 견디겠거든.

페챠, 난 당신이 남 같지 않아. 당신에게라면 기꺼이 아냐를 주겠어. 정말이야. 하지만 말야, 당신은 공부를 해야 돼. 졸업은 해야지. 당신은 아무 일도 하지 않고 있지. 그리고 그 턱수염도 어떻게 좀 해야지……. (웃는다) 어쨌든 당신은 이상한 사람이야!

트로피모프 ― (전보를 주우며) 전 미남이 되고 싶진 않아요.

라네프스카야 ― 이건 파리에서 온 전보예요. 매일같이 오죠. 어제도, 오늘도. 저 떼쟁이는 또 병이 났대요. 제발 용서해 줘, 제발 돌아와 줘, 하고 매일같이 조르죠. 어쩌면 난 다시 파리의 그이 곁으로 가야 하는 건 아닐까? 그런 표정 짓지 말아요, 페챠. 어쩔 수가 없어. 그인 병이 났대. 누군가는 그 사람 시중을 들어줘야 하지 않겠어? 그래요, 페챠. 난 그이를 사랑하고 있어요. 그인 내 목에 매달린 바윗덩어리 같아. 난 그 바윗덩어리에 짓눌려 가라앉지만, 그것 없이는 살아갈 수가 없는걸. (트로피모프의 손을 잡는다) 그렇게 보지 말아요, 페챠. 내게 아무 말도 하지 말아요. 나도 다 알아…….

트로피모프 ― (울먹이며) 아뇨, 말씀드려야겠어요. 용서하세요. 그 남자는 당신에게서 모든 걸 털어 가지 않았습니까?

라네프스카야 ― 아니, 아니, 말하지 말아요……. (양쪽 귀를 틀어막는다)

트로피모프 ― 그 작자는 쓸모 없는 인간입니다. 그건 당신도 아시잖아요! 그자는 째째한 놈팽이고, 벌레만도…….

라네프스카야 ― (울컥하지만 꾹 참고) 당신은 스물여섯인가 일곱이죠. 그런데도 마치 중학교 2학년처럼 구는군요!

트로피모프   상관없습니다!

라네프스카야 ― 좀더 어른이 되어야 해요. 당신 나이 정도 되면 사랑을 하는 사람이 기분쯤은 알아야지. 그리고 당신두 사랑을 해 봐요……. 그것도 정신없이! (화가 나는 듯) 그래, 당신 역시 순결한 것만도 아닐 거야. 단지 그런 체할 뿐이지. 우스꽝스러운 괴짜! 당신은 바보예요!

트로피모프 – (어처구니없어 하며) 무슨 말씀을 하시는 겁니까, 부인!

라네프스카야 – '연애를 초월하고 있다'고요? 초월하기는커녕 당신은 우리 피르스 말처럼 반편이에요. 그 나이에 애인 하나 없다니…….

트로피모프 – (기가 막히다는 듯) 너무하시는군요. 무슨 소리예요? (머리를 감싸쥐고 홀 쪽으로 간다) 정말 너무해……. 도저히 못 참겠어, 가야지……. (퇴장. 그러나 곧 돌아와서) 이제 당신과는 절교입니다! (다음 방으로 퇴장)

라네프스카야 – (뒤에서 부른다) 페차, 기다려요! 농담을 했을 뿐인데! 페차!

누군가 옆방 계단을 급히 올라가는 발소리가 나더니, 갑자기 쿵 떨어지는 소리가 난다. 아냐와 바랴의 놀라는 소리. 그러나 곧 웃음소리로 변한다.

라네프스카야 – 아니, 무슨 일이야?

아냐가 뛰어 들어온다.

아 냐 – (웃으면서) 페차가 말예요, 계단에서 떨어졌어요! (달려간다)

라네프스카야 – 정말 우스운 사람이군…….

역장이 홀 한가운데 멈춰 서서 톨스토이의 〈죄악의 여인〉(톨스토이의 서사시. '젊은 죄악의 여인은 잔을 비우면서 그 가운데 앉았노라. 호화로운 의상은 사람들의 눈을 빼앗고, 요염한 머리장식은 죄악의 여인의 생활을 말하도다')을 낭독한다. 모두 조용히 듣고 있는데, 채 몇 줄 읽기도 전에 다음 방에서 왈츠 곡이 흘러나와 낭독은 중단된다. 모두 춤춘다. 옆방에서 트로피모프, 아냐, 바랴, 라네프스카야가 무대로 나온다.

라네프스카야 – 저, 페차……. 날 용서해 줘요……. 자, 같이 춥시다! (페차와 같이 춤춘다)

아냐도 바랴도 춤춘다. 피르스가 들어와서 지팡이를 문 옆에 기대 세운다. 야샤도 객실에 들어와 춤을 구경한다.

야 샤 – 왜 그래요, 영감?
피르스 – 기분이 나빠서 그래. 옛날엔 우리 집 무도회라면 장군님이나 남작님, 제독 각하 같은 분들까지 오셨는데, 이젠 우체국 관리나 역장 따위를 초대해도 아무도 탐탁한 얼굴로 오지 않는단 말야. 나도 이젠 무척 쇠약해졌어. 돌아가신 큰 나리님은 무슨 병이든 언제나 봉랍으로 고치시곤 했지. 지금도 난 매일 봉랍을 마시고 있지만, 이것으로 벌써 26년, 아니, 그 이상이 될지도 모르겠군. 내가 이렇게 살아 있는 건 모두 그 덕분인지도 모르지.
야 샤 – 영감 이야기는 이제 진력이 나. (하품) 차라리 빨리 뒈져 버렸으면 좋겠어.
피르스 – 뭐야, 이 못된 녀석! (중얼거린다)

트로피모프와 라네프스카야가 홀에서 춤을 추다가 객실로 옮겨 간다.

라네프스카야 ─ 고마워요. 좀 쉬어야겠어. (앉는다) 아아, 피곤해.

아냐 등장

아 냐 ─ (흥분해서) 조금 전에 부엌에서 어떤 사람이 그러는데, 벚꽃 동산이 오늘 팔렸대요!

라네프스카야 ─ 누가 벚꽃 동산을 샀대니?

아 냐 ─ 그 말은 하지 않고 가 버렸어요. (트로피모프와 함께 춤춘다. 두 사람 홀로 가 버린다)

피르스 ─ 나리님은 아직도 안 보이는군. 늦으시는군. 얇은 봄 외투를 입고 가셨는데, 만약 감기라도 드시면 큰일이야. 젊은 사람들이란 도무지!

라네프스카야 ─ 당장이라도 죽을 것 같아. 야샤, 가서 물어보고 와요. 누가 벚꽃 동산을 샀는지.

야 샤 ─ 하지만 그 노인은 벌써 오래 전에 갔습니다. (웃는다)

라네프스카야 ─ (약간 화가 나서) 아니, 왜 웃지? 뭐가 우스워?

야 샤 ─ 에피호도프가 우스워서요. 스물두 가지 불행 말입니다.

라네프스카야 ─ 피르스, 이 영지가 팔려 버리면 영감은 어디로 가지?

피르스 ─ 말씀만 하시면 어디라도 가겠습니다.

라네프스카야 ─ 그런데 왜 그런 얼굴을 하고 있지? 어디 불편한가? 좀 쉬지 그래?

피르스 ─ 네에! (싱긋 웃고서) 그야 물러가서 쉬는 것도 좋습죠만, 그럼 뒤에는 누가 시중을 들고, 누가 관리를 합니까요? 어차피 저 혼자

뿐인걸입쇼.

야 샤 - (라네프스카야 부인에게) 마님! 부탁드릴 말씀이 있습니다. 만약에 또다시 파리에 가시게 되거든 부디 저를 데려가 주십시오. 도저히 여기엔 남아 있지 못하겠어요. 마님도 알고 계시겠지만, 사람들은 몰상식하고 따분한데다 부엌의 식사란 형편없고, 게다가 저 피르스 영감은 여기저기 다니며 온갖 되지도 않는 소리를 중얼거리고 있어요. 부디 저를 데리고 가 주세요. 네?

피시치크 등장

피시치크 - 부인, 왈츠를 추실까요? (라네프스카야, 그와 함께 걷기 시작한다) 천사와 같은 부인, 어쨌든 백 80루블만 빌려주십시오……. 부탁드립니다, (춤춘다) 백 80루블……. (홀로 옮겨 간다)
야 샤 - (조용히 노래한다) 그대는 아는가, 내 가슴의 아픔…….

홀에서 회색 실크 모자에 체크 무늬의 바지를 입은 사람이 양손을 흔들기도 하고 뛰어오르기도 한다. '브라보, 샤를로타 이바노브나!' 하고 저마다 외치는 소리.

두냐샤 - (멈춰 서서 분을 바른다) 아가씨 글쎄, 제게도 추라고 하시더군요. 여자가 적다면서 말이죠. 춤을 추었더니 현기증이 나는군요. 심장이 뛰고 있어요. 이것 보세요, 피르스 니콜라예비치. 방금 우체국 관리가 내게 굉장한 말을 하셨지 뭐예요. 난 숨이 막힐 것만 같았어요.

음악이 그친다.

피르스 – 뭐라고 하시던?

두냐샤 – 꽃과 같다는 거예요.

야 샤 – (하품) 무식한 인간들……. (퇴장)

두냐샤 – 꽃과 같대요. 난 정말 그런 달콤한 말이 무척 좋아요.

피르스 – 너도 슬슬 시작이구나.

에피호도프 등장

에피호도프 – 아브도차 표도로브나, 당신은 날 보기조차 싫어하시는군요. 마치 벌레 보듯 하니 말입니다. (한숨을 쉰다) '가련하다, 인생이여!' 로군.

두냐샤 – 무슨 볼일이라도 있나요?

에피호도프 – 당신이 맞을지도 모르죠. (탄식한다) 그러나 물론 그런……. 관점에서 본다면, 당신이라는 분은 솔직히 말해서, 요컨대……. 나를 완전히 정신 이상의 상태에 빠뜨렸다고 감히 말하지 않을 수 없습니다. 난 나의 숙명을 알고 있습니다. 내게는 매일같이 반드시 어떤 불행한 일이 일어나죠. 그리고 나는 이제 그런 것들에 익숙해져 미소까지 지을 정도죠. 그런데 당신은 일단 약속하셨습니다. 그러므로 만약 내가…….

두냐샤 – 나중에 해요, 그 이야기는. 지금은 저를 좀 가만히 내버려두세요. 전 지금 생각할 게 많거든요. (부채를 만지작거린다)

에피호도프 – 제겐 매일 불행한 일이 일어나죠. 그러나 전 감히 말씀드립니다만, 그냥 미소짓고 있겠습니다. 아니, 큰 소리로 웃기까지 합니다. 이렇게요, 하하하.

홀에서 바랴 등장

바 랴 - 아직도 여기 있니, 에피호도프? 어쩌면 이럴 수가 있담. (두
냐샤에게) 너도 저리 가고.
두냐샤 - (에피호도프에게) 당구 큐를 부러뜨리지 않나, 손님처럼 객
실을 쏘다니지 않나.
에피호도프 - 이렇게 말씀드려 실례가 될지 모르겠습니다만, 제가 당
신에게 잔소리를 들을 까닭은 하나도 없습니다.
바 랴 - 잔소리가 아냐. 너도 생각을 좀 해 봐. 해야 할 일은 뒷전이
고 빈둥빈둥 쏘다니기만 하잖아! 뭣 때문에 집사를 고용했는지 모르
겠어.
에피호도프 - (울컥하여) 내가 일을 하건 돌아다니건, 먹건 당구를
치건 무슨 상관이에요? 내게 이래라 저래라 할 수 있는 사람은 윗분
들뿐이라고요!
바 랴 - 어떻게 내게 그런 말을 할 수 있지? (발끈해서) 말 다 했어?
보자 보자 하니까, 정말……. 얼른 나가! 당장 나가라고!
에피호도프 - (겁을 집어먹고) 제게 좀 친절히 대해 주십시오, 제발.
바 랴 - (정신없이) 얼른 못 나가겠어? 자, 나가! (에피호도프가 문
쪽으로 가는 것을 쳐다보며) 스물 둘의 불행이라고! 두 번 다시 그 얼
굴을 내밀지 마! (에피호도프 퇴장. 문 저쪽에서 '당신 이야기를 고해
바치겠어요' 하는 그의 목소리가 들린다) 아니, 또 왜 오는 거야? (피
르스가 문 옆에 세워 놓았던 지팡이를 집어든다) 자, 오너라……. 올
테면 와 봐. 혼내 줄 테니까. 오겠다고? 좋아, 그럼 이렇게 해 주지.

(지팡이를 들어 올린다. 바로 그 때 로파힌 등장)

로파힌 – 어, 이거 참 황송하군요.

바 랴 – (분노와 조소를 섞어서) 실례했어요!

로파힌 – 천만에요. 이렇게 융숭히 접대해 주시니 심심한 감사를 드릴 뿐입니다.

바 랴 – 감사까진 안 하셔도 돼요. 다치신 데는 없으세요?

로파힌 – 아니 별로. 어쩌면 커다란 혹 하나쯤은 생길지도 모르겠는데요.

홀애서의 소리 '로파힌이 왔어! 로파힌이야!'

피시치크 – 여어, 어서 오십시오. 잘 오셨습니다. (로파힌에게 키스한다) 이 귀여운 사나이에게선 코냑 냄새가 나는군. 이봐요, 우리도 보시는 바와 같이 유쾌하게 놀고 있소.

라네프스카야 부인 등장

라네프스카야 – 어머나, 당신이었군요, 예르몰라이 알렉세예비치! 왜 이렇게 늦었어요? 오라버니는 어떻게 됐어요?

로파힌 – 오라버님께서도 함께 돌아오셨습니다. 곧 들어오실 겁니다.

라네프스카야 – (초조해하면서) 그래, 어떻게 됐어요? 경매는요? 빨리 말해 주세요!

로파힌 – (기쁨을 나타내지 않으려고 우물쭈물한다) 경매는 4시경에 끝났습니다. 우린 기차를 놓쳐서 9시 반까지 기다려야 했어요. (괴로운 듯이 숨을 쉬고) 머리가 어질어질하군.

가예프 등장. 오른손에는 사 온 물건을 들고, 왼손으로는 눈물을 닦고 있다.

라네프스카야 ― 로냐, 어떻게 됐어요? 네? 로냐! (안타까운 듯 눈물을 머금고) 빨리 말씀해 보세요, 제발……

가예프 ― (한 마디 대답도 없이 그저 한 손을 흔든다. 울면서 피르스에게) 이걸 받아, 안초비와 케르츠(크리미아 반도의 동쪽)의 청어야. 난 오늘 아무것도 먹지 못했어. 아아, 정말 지독한 꼴을 당했지! (당구실로 가는 문이 열려 있어서 공 소리와 '7과 18!' 하는 야샤의 목소리가 들린다. 가예프의 표정이 바뀌고 그만 눈물을 거두면서) 정말 지쳐 버렸어. 이봐, 피르스. 옷 좀 갈아입혀 줘. (홀을 지나서 자기 거실로 간다. 피르스 뒤따른다)

피시치크 ― 어떻게 됐나, 경매는? 얘기 좀 해 봐요, 어서!

라네프스카야 ― 팔렸어요, 벚꽃 동산이?

로파힌 ― 네, 팔렸습니다, 부인.

라네프스카야 ― 누가 샀어요?

로파힌 ― 제가 샀습니다. (사이)

라네프스카야 부인, 맥이 탁 풀린다. 만약 옆에 안락의자와 테이블이 있지 않았더라면 쓰러졌을 것이다.

바랴는 허리띠에서 열쇠 꾸러미를 끌러 객실 중앙 방바닥에 내동댕이치고 퇴장한다.

로파힌 ― 제가 샀어요! 잠깐만요, 여러분, 부탁입니다. 저조차도 머리가 멍해져서 말이 안 나올 지경이니까요. (웃는다) 우리가 경매장에

도착해 보니, 데리가노프가 벌써 와 있었습니다. 가예프에게는 겨우 11만 5천밖에 없는데, 데리가노프가 대뜸 저당액 위에 3만을 부르더군요. 안 되겠다 싶어 제가 4만을 불렀습니다. 그러니까 저쪽에서 다시 4만 5천으로 나오더군요. 그래서 다시 5만 5천을 불렀어요. 뭐, 이런 식으로 그놈은 5천씩, 난 1만씩 올려 갔어요.

그리고는 곧 끝이 났지요. 저당액 위에 내가 9만을 불렀으니까요! 벚꽃 동산은 이제 제 것이에요! (껄껄거리며 웃는다) 제 것이란 말입니다! 아아, 이게 무슨 일인지! 여러분, 벚꽃 동산이 내 것이란 말입니다. 마음대로 지껄이세요. 내가 취했다고 하든, 정신이 이상해졌다고 하든, 꿈을 꾸고 있다고 하든…….

(발을 구른다) 이 집에서 대대로 노예였던 우리 아버지나 할아버지가 무덤 속에서 이 사실을 아신다면 어떠실까요? 저 예르몰라이가, 얻어맞고만 자라던 예르몰라이가, 글자 하나도 제대로 못 쓰던 예르몰라이가, 겨울에도 맨발로 뛰어다니던 거지 새끼가 이 아름다운 벚꽃 동산을 샀단 말입니다!

(열쇠 꾸러미를 주우며 미소짓는다) 열쇠라……. 이제, 이 집 주인이 아니라는 말이지. (열쇠 꾸러미를 흔들어 보인다) 흥, 좋아. (오케스트라가 음조를 맞추는 소리가 들린다)

이봐, 악대. 시작해! 시작하라고! 주인이 명령한다! 이 예르몰라이 로파힌이 벚꽃 동산에 도끼 맛을 보여 주겠소. 나무가 차례차례 땅 위에 넘어질 테지! 여기다 별장을 많이 지어 대대로 살게 해 줄 테다. 자, 악대, 음악을 연주해!

음악이 시작된다. 라네프스카야 부인은 의자에 앉아 격렬하게 울고 있다.

로파힌 – (나무라듯이) 왜 제 말을 듣지 않았습니까? (눈물을 글썽이며) 아아, 빨리 이 순간이 지나가 버렸으면……. 빨리 모든 게 제자리를 잡았으면 좋겠어.

피시치크 – (그의 팔을 잡고 낮은 소리로) 울고 계시잖나. 자, 홀로 가세. 이럴 때는 혼자 있는 게 낫지. (로파힌을 홀로 데리고 간다)

로파힌 – 악대, 이렇게밖에 못 하나! (비꼬듯이) 이 벚꽃 동산의 새 주인님께서 (그러다가 작은 탁자에 부딪혀서 가지 달린 촛대를 넘어뜨릴 뻔한다) 비용을 댄다고! 제대로 하란 말야! (피시치크와 함께 퇴장한다)

라네프스카야 부인 혼자 남아 있다. 그녀는 여전히 서럽게 울고 있다. 조용한 음악 소리. 빠른 걸음으로 아냐와 트로피모프가 등장한다. 아냐는 어머니 곁에 다가가서 그 앞에 꿇어앉고, 트로피모프는 홀 입구에 선다.

아 냐 – 엄마! 울고 계시군요. 엄마, 내 소중한 엄마, 엄마를 사랑해요……. 엄마, 차라리 잘되었어요. 축하하고 싶을 정도예요. 벚꽃 동산은 이제 팔렸어요. 믿기지 않지만 사실이에요. 그러니 울지 마세요, 엄마. 엄마, 희망을 가지세요. 자, 함께 떠나요. 새로운 벚꽃 동산을 만들면 되잖아요. 이보다 훨씬 좋은 것으로요. 새로운 정원에서 우린 다시 기쁨을 맛볼 수 있을 거예요. 소중한 엄마! 우리 함께 떠나요!

—막—

제4막

제1막과 같은 무대. 커튼도 그림도 없고, 약간의 가구만이 한구석에 쌓여 있다. 썰렁한 느낌이 든다. 문 옆과 무대 뒤에는 트렁크와 여행용 보따리 같은 것이 쌓여 있다. 열려진 왼쪽 문 쪽에서 바랴와 아냐의 목소리가 들려온다.

로파힌이 서서 기다리고 있다. 야샤는 샴페인 잔이 든 쟁반을 들고 있다. 옆방에서는 에피호도프가 상자를 꾸리고 있다. 무대 뒤에서는 농부들의 작별 인사하는 왁자지껄한 소리가 들린다. 이에 답하는 가예프의 '고맙다'는 목소리가 들려온다.

야 샤 – 소작농들이 작별 인사를 하러 왔나 봐요. 예르몰라이 알렉세예비치, 민중은 선량하긴 하지만 아무래도 좀 멍청한 것 같아요. 그렇지 않나요?

조용해지자, 옆방을 거쳐 라네프스카야와 가예프가 등장한다. 그녀는 울고 있지는 않지만, 얼굴이 몹시 창백하고 경련이 일어 말을 할 수가 없다.

가예프 – 넌 그 사람들에게 아예 지갑을 주어 버렸구나, 류바. 왜 그랬니! 그러면 안 된다고!
라네프스카야 – 어쩔 수가 없었어요!

두 사람 퇴장

로파힌 - (두 사람을 향해) 이리 오십시오! 이별의 뜻에서 딱 한 잔씩만 하십시다! 정거장에서 겨우 한 병을 구했습니다. 자, 어서 오시지요! (사이) 아니, 싫으신가요? (문에서 떠난다)

이럴 줄 알았으면 사지 말 걸 그랬지. 에이! (야샤는 조심조심 쟁반을 테이블 위에 놓는다) 야샤, 마시겠니?

야 샤 - 그러죠. 떠나는 분들을 위해서! 그리고 남는 분들의 건강을 위해서! (마신다) 이 샴페인은 진짜가 아니군요. 틀림없어요.

로파힌 - 8루블이나 주었는데. (사이) 아이, 춥군!

야 샤 - 난로를 피우지 않았거든요. 어차피 떠나실 테니까. (웃는다)

로파힌 - 뭐가 우스운가?

야 샤 - 기뻐서 그래요.

로파힌 - 벌써 10월인데도 밖엔 햇볕이 따뜻하고 바람도 없어. 마치 여름 같군. 일하기에 딱 좋은 날씬데. (시계를 꺼내 보고 문 쪽을 향해) 준비 다 되셨나요? 이제 47분밖에 없어요! 20분 후에는 정거장으로 가셔야 합니다. 서두르세요!

그 때 트로피모프가 외투 차림으로 밖에서 들어온다.

트로피모프 - 출발해야겠군. 마차도 와 있고. 그런데 덧신이 어디 있지? (문을 향해) 아냐, 내 덧신 못 보았어요?

로파힌 - 나도 하르코프로 가야 하니까, 같은 기차를 타고 가세. 하르코프에서 겨울을 보내야겠어. 한동안 이 집 사람들과 어울리는 바람에 일이 손에 안 잡혀 애먹었어. 난 일하지 않고는 못 배기는 성미라서. 일을 안 하면, 손을 어디에 둬야 할지 모르겠거든. 건들거리는 게 영 남의 손 같아서 말야.

트로피모프 – 이제 모두들 떠나면, 또 유익한 사업을 시작하세요.

로파힌 – 어때, 한잔하겠나?

트로피모프 – 아니, 됐습니다.

로파힌 – 모스크바로 가는 거요?

트로피모프 – 마님을 읍내까지 전송하고, 내일 모스크바로 떠나요.

로파힌 – 교수님들은 자네가 올 때까지 강의도 미루고 기다리고 있을 테니, 빨리 가 봐야겠군.

트로피모프 – 또 쓸데없는 소릴 하시는군요.

로파힌 – 자넨 도대체 언제까지 대학을 다닐 셈인가?

트로피모프 – 뭔가 좀 더 세련되게 말할 순 없어요? 아, 지겨워. (덧신을 찾는다) 이제 우린 만날 일이 없죠? 그래서 말인데, 제발 그렇게 양팔을 휘두르지 말라고 충고해 주고 싶어요. 제발, 그 버릇 좀 고치라고요! 이번의 그 별장을 세우자는 얘기만 해도 그래요. 별장의 임자들이 차차 독립된 농장주가 될 거라고 미리 계산기를 두들기는 것 따위가 모두 양팔을 휘두르는 거라고요……. 하지만, 그렇긴 해도 당신이 싫진 않아요. 당신은 예술가들이나 가질 법한 가냘픈 손가락을 가지고 있거든요. 그리고 당신은 천성이 착한 사람이니까요.

로파힌 – (그를 안고) 아아, 페차! 여러 모로 고맙네. 필요하다면 여행비나 좀 가져가게나.

트로피모프 – 뭣 때문에 내게 돈을? 전 필요 없어요.

로파힌 – 하지만 자넨 돈이 없잖은가!

트로피모프 – 있어요. 번역료 받은 것이 있어요. (걱정스러운 듯) 그런데 덧신이 없군!

바 랴 (옆방에서) 여기 있어요. 이까짓 더러운 것 얼른 가지고 사라

져요! (고무 덧신 한 켤레를 무대 위로 내던진다)

트로피모프 – 그런데 왜 그렇게 화를 내요, 바랴? 흠……. 이건 내 덧신이 아닌데!

로파힌 – 지난봄에 양귀비를 심어서 4만이나 수익을 올렸지. 양귀비가 피었을 때는 정말 장관이었는데! 그렇게 일해서 번 돈이라고. 그것을 자네에게 빌려 주려는 거야. 그러니 부담 갖지 말게. 난 농사꾼이야……. 난 솔직하다고!

트로피모프 – 자네 아버지는 농사꾼이고, 우리 아버지는 약제사였다고 해 보았자 별로 대수로울 것도 없겠죠. (로파힌 지갑을 꺼낸다) 그만둬, 그만둬요. 설령 20만이라도 받지 않을 테니까요. 난 자유롭고 싶어요. 결코 돈에 굽실거리고 싶진 않다고요. 난 그 돈 없이도 잘 해 나갈 수 있어요. 나에게는 긍지가 있어요. 최고의 진실, 최고의 행복에 도달할 수 있어요. 그리고 난 그 맨 앞줄에 있다고요!

로파힌 – 도달할 수 있을까?

트로피모프 – 그럼요. (사이) 스스로 도달하거나, 아니면 도달하는 길을 남에게 가르쳐 주겠어요.

멀리서 벚꽃나무에 도끼질 하는 소리가 들린다.

로파힌 – 그럼 잘 가게, 이제 출발할 시간이야. 시간은 쏜살같이 흘러 가지. 피로도 잊은 채 열중하여 일하고 있노라면, 난 내가 무엇 때문에 살고 있는지 알 수 있을 것 같기도 해. 그렇지만 페챠, 이 러시아에는 왜 사는지도 모르고 살아가는 인간이 대부분이지. 아니 문제의 서큘레이션('순환'의 의미. 들은 풍월로 외래어를 쓴 것)은 그게 아냐. 소문으로는 레오니드 안드레예비치가 취직을 했다더군. 1년에

6천 루블씩 받고 은행에 다니기로 했다던가. 하지만 그렇게 게을러서야, 어디 오래 다니겠나…….

아 냐 – (문 앞에서) 엄마의 부탁인데요, 출발할 때까지는 나무를 베지 말아 달래요.

로파힌 – 아아, 그렇게 하지. 이런……. 정말 바보 같은 놈들이야. (그의 뒤를 따라 퇴장)

트로피모프 – 정말 눈치도 없지. (옆방을 지나서 퇴장)

아 냐 – 피르스를 병원에 보냈어요?

야 샤 – 오늘 아침에 그렇게 일러두었으니까 틀림없이 보냈을 겁니다.

아 냐 – (홀을 지나가는 에피호도프에게) 세몬 판첼레예비치, 피르스를 병원에 보냈는지 어떤지 좀 알아봐 주세요.

야 샤 – (화가 나서) 오늘 아침에 에고르에게 말해 두었다니까요. 왜 자꾸 물으시는 거예요!

에피호도프 – 제 생각으로는 말입니다, 노령이신 피르스의 몸은 이제 어떻게 해 볼 방도가 없습니다. 선조님이 부르시는 곳으로 가는 거죠. 저로서는 그저 부럽기만 합니다. (트렁크를 모자 상자 위에 놓자, 상자가 찌그러진다) 글쎄, 이렇다니까. 내 이럴 줄 알았어. (퇴장)

야 샤 – (비웃듯이) 아이고, 이 스물두 가지 불행아…….

바 랴 – (문 저쪽에서) 피르스를 병원에 보냈니?

아 냐 – 보냈어요!

바 랴 – 의사 선생님께 보내는 편진 왜 안 가져갔지?

아 냐 – 이미, 빨리 쫓이기 뵈야겠네. (퇴장)

바 랴 – (옆방에서) 야샤는 어디 있니? 어머니가 작별 인사하러 오셨다고 알려 집요.

야 샤 - (한 손을 흔든다) 쳇, 귀찮아 죽겠군.

짐 곁에서 내내 바쁘게 돌던 두냐샤, 야샤가 혼자인 것을 알고 다가온다.

두냐샤 - 한 번쯤 돌아보기라도 하면 어떻게 되나요? 야샤, 당신은 결국 가 버리는군요, ……날 버리고. (울면서 그의 목에 매달린다)
야 샤 - 울긴 왜 울어? (샴페인을 마신다) 엿새 후면 난 또 파리군! 내일이면 특급 열차를 타고 다시 파리로 가게 되겠지. 정말 믿기지 않아. '비브 라 프랑스(프랑스 만세)' 야!……. 여긴 아무래도 내가 있을 곳이 못 돼. 도저히 안 되겠어. 덕분에 무식한 인간들도 실컷 보았지. ……. 이젠 질렸어. (샴페인을 마신다) 그런데 왜 우는 거야? 행실만 얌전하면 울 일도 없다고!
두냐샤 - (손거울을 보면서 분을 바른다) 편지 주실 거죠? 네? 야샤, 전 당신을 무척 좋아했어요. 그렇게도 좋아했는데, 결국 이렇게 떠나시다니…….
야 샤 - 어? 누가 오는군! (트렁크 주위를 바쁜 듯이 돌아다니며 낮게 콧노래를 부른다)

라네프스카야, 가예프, 샤를로타 등장

가예프 - 출발해야지? 시간이 얼마 없어. (야샤를 보고) 누구야? 청어 냄새를 풍기는 놈이!
라네프스카야 - 아, 10분만요……. (방을 빙 둘러본다) 잘 있거라, 오랫동안 정든 집! 겨울이 지나 봄이 되면 넌 이제 사라지겠구나. 헐리고 마는 거야……. (딸에게 키스한다) 내 소중한 아냐, 넌 환히 빛나고 있구나. 네 눈은 마치 두 개의 다이아몬드처럼 반짝이는구나. 그렇게 좋니?

아 냐 – 네, 무척! 새로운 생활이 시작되는걸요, 엄마! 가슴이 설레요.

가예프 – (유쾌한 듯이) 잘 됐어. 벚꽃 동산이 팔리기 전까지는 우리 모두 노상 마음이 들떠서 무척 괴로웠지만, 이렇게 어쩔 수 없게 되고 보니 모두 마음이 안정되어 명랑해졌어. 난 이제 은행원으로 어엿한 금융인이지. ……. 노란 공은 한가운데로……. 그리고 류바, 너도 이러쿵저러쿵하지만 어쨌든 혈색이 좋아졌다. 그렇지?

라네프스카야 – 네, 맞아요. 신경이 많이 가라앉았어요. (하인 손에서 모자와 외투를 받는다) 잠도 잘 자고요. 내 짐을 가지고 나와요, 야샤. 이제 시간이 됐어. (아냐에게) 그럼 아냐, 곧 또 만나자꾸나……. 난 백모님이 영지를 도로 사라고 보내 주신 그 돈으로 살아갈 작정이다. 하지만 그 돈도 오래가지는 못하겠지…….

아 냐 – 엄마, 곧 돌아오실 거죠? 그렇죠? 나도 공부해서 여학교의 검정 시험을 치르고, 그리고 곧 직장을 가져서 엄마의 생활을 돕겠어요. 그렇게 되거든 함께 여러 가지 책을 읽어요, 네? (어머니의 양손에 키스한다) 긴긴 가을밤에 둘이서요. 그러면 우리 앞에 멋진 신세계가 열릴 거예요……. (몽상한다) 엄마, 꼭 돌아오세요…….

라네프스카야 – 그래, 꼭 돌아오마, 우리 귀여운 아냐 곁으로. (딸을 끌어안는다)

로파힌 등장. 샤를로타는 나직이 노래를 부르고 있다.

가예프 – 이런 마당에 노래가 나오다니, 샤를로타는 좋겠군.

샤를로타 – (아기를 싼 포대기 같은 보따리를 안고) 우리 아기, 자장자장……. ('응애응애' 하는 울음소리가 난다) 가엾어라. 누가 그랬어, 누가! (보따리를 집어던진다) 누가 일자리 좀 구해 주세요!

로파힌 – 찾아드리지요, 샤를로타 이바노브나. 당신이라면 문제없습니다.

가예프 – 모두들 우릴 버리는군. 바랴도 가 버릴 거고……. 쓸모 없는 인간이 되어 버렸어.

샤를로타 – 이젠, 살 집도 없고. 나가야 해요! (노래를 흥얼거린다)

피시치크 등장

로파힌 – 여어, 천연 기념물!

피시치크 – 숨이나 좀 돌립시다. 정말로 지쳤어……. 여러분 안녕……, 물을 좀…….

가예프 – 또 돈 이야기겠지! 하느님, 맙소사!

피시치크 – 오랜만입니다, 부인. (로파힌에게) 자네도 있었나? 이거 기쁘군. 여어, 천하에 제일가는 꾀주머니……. 어쨌든 받게. (로파힌에게 건네준다) 4백 루블이야……. 아직도 8백 40루블이 남아 있긴 하지만.

로파힌 – (이상한 듯이 어깨를 으쓱거리며) 이거 꿈 같군 그래. 도대체 어디서 구했나?

피시치크 – 좀 기다려……. 아이고, 더워라. 전대미문의 대사건이야. 나한테 영국인들이 찾아와서, 우리 땅에서 흰 점토인지 뭔지를 발견했다네! (라네프스카야 부인에게) 4백 루블……. 받으세요, 천사 같은 부인! (돈을 준다) 나머지는 나중에……. (물을 마신다) 방금 어떤 젊은 사람이 기차 안에서 이야기를 하는데, 거 뭐라던가 하는……. 위대한 철학자는 지붕에서 뛰어내리라고 권하고 있다더군. '뛰어내려라!' 단지 그것뿐이라고 말이지. (놀리는 듯이) 어떻습니까! 물을 좀…….

로파힌 ― 영국인이라니, 도대체 어떻게 된 거야?

피시치크 ― 그자들에게 점토가 나오는 땅을 앞으로 24년간 빌려 주기로 했네. 그런데 미안하지만 지금은 시간이 없어서……. 자세한 건 나중에……. 지금부터 스노이코프한테 가요. 그리고 카르다모노프에게도 가야 하고. 모두에게 빚이 있거든. (마신다) 그럼, 이만 실례……. 목요일에 또 오죠.

라네프스카야 ― 우린 지금 곧 읍내로 이사할 거고, 난 내일 외국으로 갑니다.

피시치크 ― 뭐라고요? 어째서 또 읍내로 간다는 거죠? 아니, 그러고 보니 가구니 트렁크니……. 하지만 끄떡없어요……. (울먹이며) 문제없어요. 굉장한 지혜꾼들이더군요, 저 영국인들 말입니다. 뭐, 끄떡없습니다. 모쪼록 행복하시기를……. 아무 일도 아닙니다. 하느님이 도와주실 거예요. 괜찮습니다. 이 세상에는 무슨 일이든 끝이 있는 법이죠.

(라네프스카야 부인의 손에 키스한다) 만약에 내게서 종말이 왔다는 소문이라도 들으시거든 아무쪼록 바로 이…… 말을 생각하시고, '옛날에 거 뭐라더라……. 시메오노프 피시치크라는 사나이도 있었지……. 망자에게 평안을 주소서!' 라고나 말해 주십시오……. 참 좋은 날씨로군요……. 징밀……. (갈팡질팡히며 퇴장. 그러나 곧 되돌아와 문 곁에서) 우리 집 다셴카가 안부 전해 달랍니다! (퇴장)

라네프스카야 ― 자, 이젠 떠날 수 있겠다. 그런데 두 가지가 걸리는구나. 하나는 병든 피르스고, 다른 하나는 바랴야. (시계를 들여다보고) 아직 4분쯤은 시간이 괜찮겠군.

아 냐 - 엄마, 피르스는 걱정 마세요. 벌써 병원에 보냈어요. 야샤가 오늘 아침에 보냈어요.

라네프스카야 - 그래? 그럼, 이제 바랴 문제만 해결하면 되겠군. 바랴는 아침 일찍 일어나 일하는 버릇이 있는데, 지금은 일이 없어 마치 물 떠난 고기 같아. 안색도 좋지 않고, 가엾게도 늘 울고만 있어…… (사이)

참, 예르몰라이 알렉세예비치 씨, 당신은 그런 바랴가 잘 이해 되시겠네요. 난……. 그 애를 당신에게 시집보냈으면 하는데요……. 당신도 바랴를 맘에 두고 계시는 것 같고. (아냐에게 귀띔을 하자, 아냐는 샤틀로타에게 고개를 끄덕여 보인다. 두 사람 퇴장) 그 애도 당신을 사랑하고 있어요. 그런데, 아무래도 모르겠어요……. 어째서 두 사람은 서로 피하려고만 하는지…….

로파힌 - 저도 잘 모르겠습니다. 어쩐지 어색해서 말이죠. 마님이 좀 도와주시면 지금이라도 결말을 짓고 싶습니다만…….

라네프스카야 - 그래요? 그거 다행이군요. 1분이면 충분할 테니. 당장 그 애를 불러야겠어요.

로파힌 - 마침 샴페인도 있습니다. (작은 글라스를 들어 보고) 아니, 누가 벌써 다 마셔 버렸군. (야샤, 헛기침을 한다) 아주 퍼마셔 버렸군……. 쳇.

라네프스카야 - (기쁜 듯이) 됐어! (문을 향해) 바랴, 거긴 놔두고 이리 와 보렴. 자, 빨리! 야샤, 우린 저쪽으로 가자꾸나. (야샤와 함께 퇴장)

로파힌 - (시계를 들여다보고) 옳지……. (사이)

문 저쪽에서 킥킥거리는 웃음소리. 속삭임. 이윽고 바랴 등장한다.

바 랴 - (오랫동안 이것저것 짐을 살핀다) 이상하네. 아무래도 안 보여.

로파힌 - 뭐가 없습니까?

바 랴 - 내가 챙겼는데도 못 찾겠군요. (사이)

로파힌 - 앞으로 어떡하실 겁니까, 바르바라 미하일로브나?

바 랴 - 라굴린 댁으로 갈 거예요. 그 댁의 살림을 돌보기로 했어요. 뭐, 말하자면, 가정부죠.

로파힌 - 그럼 야쉬네보 마을이군요? 여기서 한 70킬로 정도 될걸요. (사이) 이제 이 집과도 이별이겠군요.

바 랴 - (짐을 둘러보면서) 어딜 갔을까? 궤짝 속에 넣었나? 네, 이 집에서의 생활도 마지막이지요…….

로파힌 - 난 하르코프로 갑니다. 일이 많아서 말이죠. 마님과 같은 기차로 간답니다. 이 집은 에피호도프가 돌볼 거예요……. 그 사람을 고용했어요.

바 랴 - 네, 그래요?

로파힌 - 작년 이맘때는 벌써 눈이 왔었는데……. 기억나십니까? 그런데 올해는 아직도 따뜻한 편이군요. ……. 하지만 춥긴 춥습니다. 영하 3도쯤 되겠는데요.

바 랴 - 그래요? (사이)
우리 집 온도계가 고장이 나서……. (사이)
집 밖의 목소리   (문 곁에서) 예르몰라이 알렉세예비치!

로파힌 - (기다리고나 있었다는 듯이) 그래! 지금 나가! (서둘러 퇴장)

바랴는 바닥에 앉아 옷보따리에 머리를 파묻고 흐느껴 운다. 라네프스카야 부인이 조용히 들어온다.

라네프스카야 - 바랴, 어떻게 됐니? (사이) ……. 이제, 나가자꾸나.
바 랴 - (울음을 그치고, 눈물을 닦으며) 네, 벌써 시간이 됐네요, 어머니. 오늘 안으로 라굴린 댁에 갈 수 있을 거예요. 기차만 놓치지 않는다면 말이에요.
라네프스카야 - (문 쪽을 향해) 아냐, 준비 다 되었니?

아냐와 가예프, 샤를로타 등장. 가예프는 모자가 달린 두툼한 외투를 입고 있다. 하인들과 마부들 모인다. 에피호도프는 짐 시중을 든다.

라네프스카야 - 자, 이제 떠날 수 있겠구나.
아 냐 - (기쁜 듯이) 출발!
가예프 - 친애하는 여러분! 경애해 마지않는 친구 여러분! 이제 영원히 이 집을 떠나는 이 시점에서 어찌 이 레오니드 안드레예비치가 한마디 안 할 수 있겠습니까? 우리의 고별을 위해 지금 나의 영혼을 감싸고 있는 이 감개무량함을 어찌 토로하지 않을 수 있으리요…….
아 냐 - (애원하듯이) 아저씨!
바 랴 - 아저씨, 제발 그만두시라니까요!
가예프 - (의기소침하여) 빈 쿠션으로 노란 공을 한가운데로……. 그래, 그만두자꾸나.

트로피모프, 이어 로파힌 등장

트로피모프 - 아직도 준비가 덜 됐습니까? 이제 출발해야 합니다!

로파힌 - 에피호도프, 내 외투!

라네프스카야 - 잠깐만! 조금만 더 앉아 있자. (러시아 인에게는 여행을 떠나기 전에 한동안 앉아 있는 습관이 있다). 여태까지 이 집의 벽이 어떤지, 천장이 어떤지 한 번도 본 적이 없는 것 같은 기분이야. 그런데 이렇게 정겹다니……. 아무리 봐도 싫증이 안 날 것 같아…….

가예프 - 내가 여섯 살이었을 때, 성령 강림 주일에 이 창문에 걸터 앉아 교회에 가시는 아버지를 보던 일이 꼭 어제만 같은데…….

라네프스카야 - 뭐, 빠진 짐은 없겠죠?

로파힌 - 그런 것 같은데요. (외투를 입으며 에피호도프에게) 알았지, 에피호도프? 이 집을 잘 관리하고 있어야 해.

에피호도프 - (목쉰 소리로) 염려 마시고 잘 다녀오십시오.

로파힌 - 그런데 목소리가 왜 그래?

에피호도프 - 물을 마시다 뭐가 목에 걸렸어요.

야 샤 - (멸시하는 투로) 바보 같은 녀석!

라네프스카야 - 이제 이 집엔 아무도 없겠군.

로파힌 - 길어야 봄이 올 때까지죠.

바 랴 - (보따리에서 파라솔을 꺼낸다. 그 모습이 마치 휘두르는 것 같아, 로파힌 깜짝 놀란다) 어머, 왜 그러세요? 당신을 위협하려던 게 아니에요.

트로피모프 - 여러분. 자, 어서 타세요. 이제 시간이 다 되었어요! 기차가 곧 올 거예요!

비 랴 - 페챠, 드디어 찾았어요. 당신의 덧신. 자, 여기 있어요. (눈물을 글썽이며) 그런데 어쩌면 이렇게 더럽고 낡았는지…….

트로피모프 - (덧신은 신으며) 자, 여러분, 어서 가십시다!

가예프 – (눈물을 글썽이며 어쩔 줄 몰라한다) 기차가……. 저, 정거장이……. 비틀어서 한가운데로, 흰 공을 빈 쿠션에 구석으로…….

라네프스카야 – 어서 가요!

로파힌 – 자, 다들 나오셨죠? 이쪽 문을 잠가 둬도 되겠죠? (왼쪽 문에 자물쇠를 채운다) 물건이 있으니까 잠가 둬야겠어. 자, 가십시다!

아 냐 – 잘 있거라, 나의 집! 낡은 생활이여, 이제는 안녕!

트로피모프 – 새 생활을 향하여! (아냐와 함께 퇴장)

바랴는 방 안을 둘러보고는 천천히 퇴장. 야샤와, 개를 데리고 있는 샤를로타도 퇴장한다.

로파힌 – 그럼, 봄까지 안녕! 자, 가십시다. (퇴장)

라네프스카야와 가예프 둘만 남는다. 두 사람은 기다렸다는 듯이 서로 목을 얼싸안고 조용히 소리를 죽여 서럽게 흐느낀다.

가예프 – (몸부림치며) 아아, 귀여운 동생 류바야…….

라네프스카야 – 사랑하는 나의 동산, 정답고 아름다운 나의 동산! 나의 생활, 나의 청춘, 나의 행복이여, 모두 다 안녕! 안녕히!

아냐의 목소리 – (즐겁고 감격적인 목소리로 재촉하듯) 엄마!

트로피모프의 목소리 – (흥분되고 감격적인 목소리로) 여어이!

라네프스카야 – 마지막으로 한 번 더 벽이며 창문을 보고 싶어요, 오라버니. 돌아가신 어머니는 이 방을 좋아하셨는데…….

가예프 – 아아, 류바, 나의 이 멋진 벚꽃 동산이여!

아냐의 목소리 – 엄마!

트로피모프의 목소리 — 여어이!

라네프스카야 — 그래, 지금 곧 나간다! (두 사람 퇴장)

무대는 텅 빈다. 문마다 자물쇠를 채우는 소리가 나고, 곧 몇 대의 마차 지나가는 소리. 조금 후 고요해진다. 그 고요 속에 나무를 찍는 도끼의 둔탁한 소리가 쓸쓸하고 구슬프게 텅텅 울려 퍼진다. 이윽고 발소리가 들리더니, 오른편 문에서 피르스가 나타난다. 늘 그렇듯이 그는 양복에 조끼를 입고, 발에는 덧신을 신고 있다. 병색이 완연하다.

피르스 — (문 쪽으로 가 손잡이를 만져 본다) 잠겼군. 모두 가 버렸어. (소파에 앉는다) 나를 두고 갔군 그래. 하지만 괜찮아. 여기 이렇게 앉아 있자…… . 나리께서는 아마 털외투도 입지 않고 보통 외투를 입고 가셨을 거야! (걱정스러운 듯이 한숨을 내쉬며) 내가 보살펴 드려야 하는데…… . 정말 젊은 사람들이란! (뭔가 중얼거리지만 들리지 않는다) 한평생이 지나고 말았어, 산 것 같지도 않게…… . 어디, 누워 볼까! (눕는다) 에이, 이게 무슨 꼴이람. 힘도 근력도 다 없어져 버렸어. 빈 껍데기뿐이야. 에이, 바보 같이! (꼼짝도 않는다)

저 멀리서, 마치 줄이 끊어지는 듯한 구슬픈 소리가, 하늘에서 울리듯 들리다 사라져 간다. 다시 정적. 그런 다음 멀리 정원 쪽에서 나무를 찍는 도끼 소리만이 허무하게 들려온다.

—막—

갈 매 기

소린 집안의 영지에서 일어난 사건. 제3막과 제4막 사이에 2년이 지나간다.

등장인물

아르카지나(일리나 니콜라예브나) : 남편의 성을 따르면 트레플레바. 여배우

트레플레프(콘스탄틴 가브릴로비치) : 아르카지나의 아들, 청년

소린(표트르 니콜라예비치) : 아르카지나의 오빠

니나(미하일로브나 자례치나야) : 젊은 처녀, 부유한 지주의 딸

샤므라예프(일리야 아파나시예비치) : 퇴역 중위. 소린 집안의 집사

폴리나(안드레예브나) : 샤므라예프의 아내

마샤 : 샤므라예프의 딸

트리고린(보리스 알렉세예비치) : 소설가

도른(예브게니 세르게예비치) : 의사

메드베젠코(세몬 세묘노비치) : 교사

야코프 : 머슴

요리사

하녀

제1막

소린 집안에 있는 정원의 한쪽. 관람석에서 정원 안쪽으로 뻗어 호수로 통하는 가로수 길이 있으나, 호수는 가정극을 위해 급하게 만들어진 무대에 가려져 전혀 보이지 않는다. 무대 좌우에는 관목숲. 의자 몇 개와 작은 테이블이 하나 놓여 있다.

막 해가 진 무렵. 막이 내려져 있는 무대 위에 야코프를 비롯한 몇몇 머슴들의 기침 소리와 망치 소리. 산책에서 돌아오는 마샤와 메드베젠코가 왼쪽에서 등장한다.

메드베젠코 – 볼 때마다 검은 옷만 입고 계시네요. 무슨 까닭이 있나요?

마 샤 – 내 인생의 상복이에요, 난 불행한 여자니까요.

메드베젠코 – 왜요? (생각에 잠기며) 이해가 안 가는군요. 당신은 건강하고, 그렇게 어렵게 사는 것도 아니잖아요? 거기 비하면 나야말로 불행하죠. 한 달에 겨우 23루블밖에 받지 못하는데다, 퇴직 적립금까지 공제당하고 있으니까요. 그래도 난 상복 같은 건 입지 않아요. (두 사람 앉는다)

마 샤 – 돈이 문제가 아니에요. 가난한 사람도 얼마든지 행복할 수 있어요.

메드베젠코 – 이론적으론 그렇죠. 하지만 실제로 어디 그런가요? 나하고 어머니, 누이동생이 둘, 거기다 남동생……. 그런데도 내 월급은 고작 23루블밖에 안 되죠. 그렇다고 입을 봉하고 살 수는 없는 일 아닌가요? 차도 필요하고, 설탕도 필요하죠. 담배도 있어야 하고요. 그래서 늘 쩔쩔매게 되죠.

마 샤 - (무대 쪽을 돌아보며) 이제 곧 연극이 시작되겠군요.

메드베젠코 - 네. 각본은 트레플레프 군의 것이고, 주연은 니나 양이랍니다. 그들은 사랑하는 사이니까, 오늘 공연은 마치 두 사람의 영혼이 빚어 낸 하나의 예술이라고나 할까요. 그런데 나와 당신의 영혼에는 공통적인 것이 하나도 없군요.

난 당신을 사랑하고 있습니다. 당신이 보고 싶어서 매일 15리 길을 찾아왔다가는 또 15리 길을 돌아가죠. 그런데도 당신은 내게 무정하시군요. 그것도 무리는 아니죠. 내게 재산이 있나, 재능이 있나, 거기다 딸린 식구는 많지……. 이렇게 가난하고 무능한 사람하고 결혼할 사람이 어디 있겠어요!

마 샤 - 그런 소리 마세요. (담배 냄새를 맡는다) 당신 마음은 감사하지만, 보답해 드릴 수가 없군요. 그것뿐이에요. (담뱃갑을 내밀며) 피우시겠어요?

메드베젠코 - 아뇨. (사이)

마 샤 - 아이, 더워. 소나기가 한차례 퍼부을 모양이에요. 당신은 늘 철학 얘기나 돈 얘기뿐이로군요. 당신 말대로라면 가난만큼 불행한 것도 없겠죠. 하지만 난 누더기를 입고, 거지 생활을 하는 편이 차라리 더 마음이 편할 것 같아요. 당신은 이해 못 하시겠지만…….

오른쪽에서 소린과 트레플레프 등장

소 린 - (지팡이에 기대며) 난 아무래도 시골 체질이 아닌 것 같아. 평생 이 고장에는 정이 들 것 같지가 않단 말이야. 어제는 밤 10시에

잠들어서 아침 9시에 눈을 떴는데, 너무 자서 뇌가 꼭 두개골에 찰싹 달라붙은 것 같더라고. (웃는다) 그런데 점심 먹고 또 잠이 들어 버렸지 뭐야, 맥이 풀리고 마치 악몽에 시달리고 있는 것 같아. 한 마디로 말하면…….

트레플레프 — 그래요, 아저씬 도시 체질이시죠. (마샤와 메드베젠코를 보고) 여러분, 시작할 때 부르겠습니다. 지금 여기 계시면 안 돼요. 잠깐 자릴 비워 주시겠어요?

소 린 — (마샤에게) 이봐요, 마샤 양. 아버지께 저 개 좀 풀어 주라고 전해 줘. 너무 짖어서 시끄러워 잠을 잘 수가 있나. 덕분에 동생은 밤새도록 한잠도 못 잤어.

마 샤 — 미안하지만 안 되겠는걸요. 아버지께 직접 말씀하세요. (메드베젠코에게) 자, 가요.

메드베젠코 — (트레플레프에게) 그럼, 시작하기 전에 알려 주십시오.

두 사람 퇴장

소 린 — 그럼 또 밤새도록 짖어 대겠군. 이것 참……. 난 시골에 와서 한 번도 하고 싶은 대로 해 본 적이 없어. 전에도 종종 휴가차 여길 오곤 했지. 푹 좀 쉬려고 말이야. 하지만 꼭 쓸데없는 일이 생겨서 도착한 그 날로 돌아가고 싶게 만들지. (웃는다) 그러면서도 떠날 땐 시원섭섭한 기분이지! 하지만 이젠 퇴직해서 마땅히 있을 곳도 없으니, 그냥 여기에 눌러앉아 있을 수밖에 …….

야코프 — (트레플레프에게) 두련님, 잠깐 목욕하고 와두 되겠습니까?

트레플레프 — 그렇게 해. 하지만 10분 후에는 모두 자기 자리에 있어야 해 (시계를 보며) 이제 곧 시작할 테니까, 빨리 하고 와야겠규

야코프 – 알아 모시겠습니다요. (퇴장)

트레플레프 – (무대를 힐끗 보면서) 자, 이젠 극장도 있고, 막도 있고, 다음에 제1분장실, 제2분장실. 그 다음엔 빈 공간…… 무대장치 같은 건 없어요. 자연 그대로의 호수와 지평선의 전망 그 자체가 무대장치죠. 개막은 정각 8시 반으로 잡았어요. 달이 뜨는 시각이거든요.

소 린 – 멋있군!

트레플레프 – 그러니, 니나 양이 늦으면 무대는 엉망이 되고 말겠죠. 올 시간이 됐는데…… 니나 양은 아버지와 계모의 감시가 심해, 집을 빠져 나오기란 감옥을 탈출하는 것만큼이나 어려워요. (아저씨의 넥타이를 고쳐 준다) 아저씨, 머리랑 수염이랑 손질 좀 하셔야겠어요.

소 린 – (수염을 쓰다듬으며) 이것 때문에 영 골치야. 젊었을 때부터 꼭 술주정뱅이 같은 느낌이어서 여자들에게 인기가 없었지. (앉으면서) 네 어미는 왜 저렇게 토라져 있냐?

트레플레프 – 왜냐고요? 쓸쓸하신 모양이에요. (나란히 앉으면서) 간단히 말하면 샘이 나신 거고요. 어머니는 오늘 이 연극을 영 못마땅해하세요. 왜냐하면 주연 여배우가 어머니가 아니라 니나 양이기 때문이죠. 내 각본을 보기도 전에 이 연극을 원수같이 여기고 계세요.

소 린 – (웃는다) 설마…… 그건, 네 억측이야.

트레플레프 – 어머니는 말예요, 무대에서 갈채를 받는 게 당신이 아니라 니나 양이기 때문에 울화가 치미는 거예요. (시계를 보며) 욕심이 많으세요……, 어머니는 게다가 재능도 있고 머리도 좋고 소설이나 시에 대한 감각도 있으시죠. 네코라소프의 시도 즉석에서 다 외우실 정도니. 하지만 시험 삼아 어머니 앞에서 엘레노라 두제라도 칭찬해 보세요, 큰일납니다! 그저 어머니만 칭찬해야 돼요. 연극평도 어머니에 대해서만 써야 되죠.

그러니 이런 시골 구석에서 뭐가 그리 만족스러우시겠어요. 게다가 어머니는 미신 같은 것도 잘 믿으셔서, 세 자루의 촛대(죽은 사람의 주위를 비추는 습관에서 켜는 촛대)나 13일이라는 날짜엔 아주 경기를 일으키시죠. 게다가 얼마나 구두쇠인지, 오데사의 은행에 7만 루블이나 있으면서도 내가 조금만 달라고 하면 아주 우는소리를 하신다니까요.

소 린 – 넌 너의 각본이 어머니 마음에 들지 않을 거라고 지레 흥분하는 거야. 그렇지 않아. 내가 보기에 어머닌 널 자랑스러워한다.

트레플레프 – (작은 꽃잎을 뜯으면서) 좋아한다……. 아니다, 좋아한다……. 아니다, 좋아한다……. 아니다. (웃는다) 이것 보세요, 어머니는 저를 싫어하신다고요. 어머니는 아직 젊게 살고 싶어하시죠. 사랑하고, 화려하게 꾸미고. 그런데 제가 벌써 스물다섯 살이나 되었으니, 날 볼 때마다 자신의 나이가 생각나시겠죠. 제가 없으면 어머니는 서른두 살이지만, 제가 나타나면 금세 마흔셋이 되어 버리거든요. 그래서 저를 미워하는 거예요.

어머닌 극장을 사랑하세요. 당신은 인류니 신성한 예술이니 하는 것에 봉사하고 있다고 생각하시면서 자부심을 느끼고 계세요. 하지만 전 아니죠. 제가 볼 땐 요즘의 극장이라는 것은 틀에 박힌 것, 인습에 불과해요.

막이 올라가면 저녁 무렵의 조명에 삼면이 벽으로 되어 있는 바다에서, 배우들이 먹고 마시고 사랑하고 걸어다니고 양복을 입고 하는 모양을 연출해 보이죠. 그러면 구경꾼은 그 속에서 어떻게 해서든지 뭔가 의미를 발견해 내려고들 애를 쓰죠. 그것을 이리 바꾸고 저리 바꾸어 수백, 수천을 되풀이하고 있다고요. 별게 아니에요 그것을 보면 난 모파상처럼 달아나고만 싶어요. 에펠 탑의 저속함이 견딜 수가 없어서 그만 거기서 달아난 모파상같이 말예요.

소 린 – 그렇다고 극장을 없앨 수는 없지.

트레플레프 – 그래서 새로운 형식이 필요한 거예요. (시계를 본다) 전 어머니를 좋아해요. 하지만 어머니의 생활이라는 게……. 항상 그 소설가 자식하고 붙어다니면서 신문에 염문이나 퍼뜨리고……. 지쳤어요, 이젠. 가끔 저도 주체 못 할 이기심이 생길 때가 있어요. 말하자면, 어머니가 유명한 여배우가 아니라 그냥 평범한 어머니였다면 우린 좀 더 행복하게 살았을 거라고요. 어머니의 객실에는 늘 유명인사들로 꽉 차 있죠. 배우니 작가니 하는 사람들 말예요. 그중에서 별 볼일 없는 사람은 나 혼자뿐이에요. 그나마 그 자리에 끼일 수 있는 것은 오로지 내가 어머니의 아들이기 때문이지요.

도대체 전 뭐하는 놈입니까? 대학은 3년 만에 뛰쳐나왔죠. 그 이유란 것이 그 '편집국과는 무관한 사정 때문에'(당시의 잡지 따위가 사상 탄압 때문에 발매금지되었을 때 자주 쓰던 관용구)라는 거죠. 게다가 전 재능도 없고, 돈도 없어요. 여권에는 키예프의 상인이라고 적혀 있어요. 그야 우리 아버지도 유명한 배우이긴 했지만, 근본을 캐고 보면 키예프의 상인이 틀림없거든요. 그래서 어머니 객실의 그 유명한 배우나 작가들의 동정 어린 시선을 받을 때면 저는 굴욕감으로 그만 죽고만 싶어져요.

소 린 – 말이 나왔으니 하는 말이지만, 그 소설가라는 작자는 도대체 어떤 놈이야? 아무래도 이해할 수가 없단 말이야. 아무 말도 안 하니…….

트레플레프 – 머리도 좋고 솔직하기도 하지만 뭐 약간 우울한 인간이죠. 나름대로는 꽤 훌륭한 인물이에요. 마흔도 안 되었는데 벌써 이름을 날리고 있잖아요. 또 돈도 많고요. 작품은……. 글쎄, 뭐라고 할까……. 사람에게 호감을 주는 재치 있는 필치이긴 하지만……. 그러나……. 톨스토이나 졸라를 읽은 다음에는 트리고린을 읽고 싶지는 않을 것 같아요.

소 린 – 그런데 난 작가라는 게 좋아서 말이야. 젊었을 때 내가 열렬히 원했던 게 두 가지가 있었지. 마누라를 얻는 것과 작가가 되는 것. 그러나 나는 어느 것 하나 이루지 못했다. 어쨌든 하찮은 작가라도 된다는 것은 재미있는 일이다.

트레플레프 – (귀를 기울인다) 앗, 저 발소리……. (아저씨를 껴안는다) 아저씨, 전 저 사람 없이는 살 수 없어요. 발소리까지도 멋있어. 전 저 사람으로 인해 미칠 듯이 행복해요! (빠른 걸음으로 니나를 맞으러 간다) 오오, 나의 요술장이 아가씨, 나의 꿈…….

니 나 – (흥분한 모습으로) 나, 늦지 않았죠? 늦지 않으려고 얼마나 애를 썼는데요.

트레플레프 – (여자의 양손에 입을 맞추며) 음, 됐어, 됐어…….

니 나 – 못 오게 될까 봐, 얼마나 불안에 떨었는지! 그런데 방금 아버지가 계모와 함께 나가셨어요. 하늘이 붉게 물들고, 곧 달이 뜰 것 같아 있는 힘을 다해서 말을 채찍질했어요. (웃는다) 이렇게 오게 되어 기뻐요. (소린의 손을 꼭 쥔다)

소 린 – (웃으며) 이런, 귀여운 두 눈이 퉁퉁 부으셨군.

니 나 – 네, 조금……. 얼마나 뛰었는지 아직도 숨이 차요. 37분 지나면 난 가야 돼요. 붙잡지 말아 주세요, 네? 아버지는 내가 여기 온 줄 모르세요.

트레플레프 – 그래, 정말 이젠 시작할 시간이야. 빨리 시작해야겠어. 모두들 불러야지.

소 린 ― 내가 갔다 오마. (오른쪽으로 가면서 노래한다) '프랑스로 돌아가는 두 사람의 척탄병' (하이네의 〈두 척탄병〉에서) (뒤돌아보며) 언젠가 이렇게 노래를 시작했더니 어떤 검사보 하나가 나에게 말하는 거야. '각하, 참 대단한 목청이시군요.' 그리고는 그 친구 한참 생각하더니 이렇게 덧붙이더군. '그러나…… . 듣기 좋은 목소리는 아닌 것 같군요.' (웃으며 퇴장)

니 나 ― 아버지와 계모는 나를 여기 오지 못하게 해요. 내가 여배우라도 될까 봐 그러시죠. 하지만 난 이 호수가 좋아요. 갈매기처럼 가슴속은 당신 생각으로 가득해요. (주위를 살핀다)

트레플레프 ― 우리뿐이에요.

니 나 ― 아니에요, 저기 누가 있나 봐요.

트레플레프 ― 아무도 없어요. (키스)

니 나 ― 저건 무슨 나무죠?

트레플레프 ― 느릅나무.

니 나 ― 어쩌면 저리 검을까?

트레플레프 ― 저녁때라 모두 다 검게 보이는 겁니다. 그렇게 빨리 돌아가지 말아요, 제발.

니 나 ― 안 돼요.

트레플레프 ― 그럼 내가 그쪽으로 갈까요? 난 밤새도록 당신 방 창문을 보고 있을 거야.

니 나 ― 안 돼요. 트레조르가 짖을 거예요.

트레플레프 ― 당신을 사랑해.

니 나 ― 쉬잇…… .

트레플레프 ― (발소리를 듣고) 누구야? 야코프?

야코프 ― (가설무대 그늘에서) 네, 그렇습니다요.

트레플레프 ─ 모두 제자리에 가 있으라고 해. 이제 시간이 됐으니. 달은 떠오르고 있나?

야코프 ─ 네, 그렇습니다요.

트레플레프 ─ 알콜이랑 유황이랑 다 준비되었겠지? 빨간 눈알이 나올 때엔 유황 냄새를 풍겨야 해. (니나에게) 자, 어서 가 봐요. 다 준비되었어요! 아, 떨고 있군요.

니 나 ─ 네, 무척 떨려요. 당신 어머닌……. 그래요, 아무렇지 않아요. 난 두렵지 않아요. 하지만 트리고린 씨가 계시죠……. 그분 앞에서 연기를 하는 건 두려워요, 부끄럽기도 하고……. 유명한 작가니까요. 젊은 분인가요?

트레플레프 ─ 네.

니 나 ─ 그분의 소설은, 정말 멋져요!

트레플레프 ─ (냉담하게) 난 모르겠는데요. 읽어 보지 않아서.

니 나 ─ 당신의 작품은 사실 연기하기가 힘들어요. 살아 있는 인간이 없어서요…….

트레플레프 ─ 살아 있는 인간이라! 인생을 그리려면 있는 그대로여서는 안 되죠. 상상 속에 나타나는 그대로의 모습이라야 해요.

니 나 ─ 당신의 작품은 움직임이 적어서 그냥 읽고만 있는 느낌이에요. 그리고 연극이라는 것엔 역시 연애가 있어야 된다고 생각해요. (두 사람 가설무대 뒤로 사라진다)

폴리나와 도른 등장.

폴리나 ─ 습기가 가득하군요. 가서 오버 슈즈를 신고 오세요.

도 른 ─ 더운데요.

폴리나 - 당신은 의사니까 습한 공기가 몸에 해롭다는 것쯤은 잘 알고 계시면서 고집을 부리시는군요. 날 걱정시키려고. 어젯밤에도 일부러 밤새 테라스에 나가 계시고…….

도 른 - (외운다) '그대여 말하지 말라, 청춘을 잃었노라고.' (네크라소프의 시 한 구절)

폴리나 - 아르카지나 씨하고 얘기하는데 신이 나서 추운 것도 잊고 계셨죠? 그렇죠? 당신……, 아르카지나 씨를 좋아하시나요?

도 른 - 난 쉰다섯 살이오.

폴리나 - 남자 나이 쉰다섯이 뭐 그리 많은 나이인가요? 당신은 아직 젊으시니까 여자들에게 인기가 많겠어요.

도 른 - 그래서 어쩌라는 겁니까?

폴리나 - 남자들은 여배우라면 깜빡 죽죠, 모두들!

도 른 - (외운다) '나 또다시 그대 앞에' (네크라소프의 시 한 구절)……. 꼭 그런 건 아니지만, 그래요, 그렇다고 칩시다. 그게 뭐 이상한가요? 그건 당연한 이치라고 할 수 있죠. 그게 바로 이상주의라고 하는 거예요.

폴리나 - 여자들이 언제나 당신 목에 대롱대롱 매달려 있죠? 그럼, 그것도 이상주의인가요?

도 른 - (어깨를 움츠리고) 그게 어떻다는 겁니까? 그래요. 부인네들은 내게 잘 해 주죠. 그렇지만 그건 주로 기술 좋은 의사로서입니다. 10여 년 전만 해도 나는 알아주는 산부인과 의사였으니까요.

폴리나 - (남자의 손을 잡는다) 저어, 여보!

도 른 - 쉿, 사람들이 옵니다.

아르카지나가 소린과 팔짱을 끼고 등장. 그 뒤로 트리고린, 샤므라예프, 메드베젠코, 마샤 등장한다.

샤므라예프 – 1873년에 폴타바의 정기공연에서 그 여배우는 멋진 연기를 보여 주었어요. 정말로 명연기였죠! 그런데 희극 배우인 차진…… . 저 파벨 세묘노비치, 그 사람은 지금 어떻게 되었나요? 라스플류예프(수호보 코브일린의 희극 〈크래친스키의 결혼〉 속에 나오는 인물)를 시키면 천하일품이었죠. 사돕스키 (모스크바 소극장의 배우. 1872년에 죽음)보다도 나았다니까요. 아니, 정말입니다, 부인.

아르카지나 – 케케묵은 옛 사람들 얘기뿐이군요. 내가 그들이 어떻게 되었는지 알 게 뭐예요! 그걸 내가 어떻게 알아요! (앉는다)

샤므라예프 – (후 한숨을 쉬고) 파쉬카 차진! 이제 그런 배우는 없지요. 아르카지나 씨, 옛날엔 떡갈나무 거목들도 많았는데, 지금은 그루터기뿐이에요.

도 른 – 그래요, 찬란하게 빛나는 명배우는 적어졌지. 하지만 중견 배우들은 훨씬 좋아졌어요.

샤므라예프 – 그렇지 않아요. 동의할 수 없어요. 하기야 이건 취미의 차이니까. '취미에 대해서는 좋든가 아니든가 둘 중의 하나죠.' (라틴어의 속담을 두 개 섞어 뜻이 분명치 않음)

트레플레프 가설무대 뒤에서부터 나온다.

아르카지나 – (아들에게) 얘야, 도대체 언제 시작하니?

드레플레프 – 이제 곧 시작합니다. 잠깐만 기다리세요.

아르카지나 – (〈햄릿〉의 대사를 읽는다) '내 아들아! 네가 내 두 눈을, 마음속을 들여다보게 했으니 나는 내 넋이 피투성이의 치명적인

궤양 상태임을 알았다. 구할 길 없구나!'

트레플레프 – (〈햄릿〉의 대사로) '어찌하여 악덕에 몸을 맡기고, 죄악의 구렁텅이에서 사랑을 찾으셨나이까!'

가설무대 뒤에서 뿔피리 소리가 들려온다.

트레플레프 – 여러분, 시작합니다! 조용히 해 주십시오. (사이) 그럼 먼저 나부터. (가느다란 단장으로 툭툭 두드리고, 큰 소리로 말한다) 오오, 그대들 영광에 찬 옛 그림자여, 밤이면 밤마다 이 호수 위를 방황하는 그림자여, 우리를 잠들게 하라. 그리고 20만 년 뒤의 광경을 꿈속에서 보여 다오!

소 린 – 20만 년 후에는 아무것도 없을 게다.

트레플레프 – 그렇다면 그 아무것도 없는 걸 보여 주는 거예요.

아르카지나 – 마음대로 하렴. 우린 잠이나 잘 테니까.

막이 오르자 호수의 정경이 펼쳐진다. 달은 수평선 위에 걸려 물 속에 그림자가 비친다. 커다란 바위 위에 흰옷으로 전신을 감싼 니나가 앉아 있다.

니 나 – 인간도, 사자도, 독수리도, 뇌조도, 뿔 달린 사슴도, 거위도, 거미도, 물 속에 사는 말없는 물고기도, 바다에 사는 불가사리도, 사람 눈으론 볼 수 없는 것들도. 모든 생물, 모든 생명, 생명이라는 생명은 모두 슬픈 순환을 마치고 사라져 버렸다……

이미 수천 세기 동안 지구는 그 어떤 생물도 갖지 않았으며, 저 가련한 달만이 등불을 켜고 있다. 목장에선 울음소리와 더불어 잠을 깨는

학들도 없고, 보리수 숲에서는 소리도 들리지 않는다. 춥다, 춥다, 춥다. 허무하다, 허무하다, 허무하다. 두렵다, 두렵다, 두렵다. (사이) 모든 생물의 몸뚱이는 먼지 속에 사라져 버렸다. 영원한 물질이 그것을 돌로, 물로, 구름으로 변화시켜 버렸으나, 그들 모두의 영혼은 한데 엉겨 하나가 되었다. 세계에 존재하는 하나의 영혼, 그것이 나다……. 바로 나인 것이다. 내 속에는 알렉산더 대왕의 영혼도, 시저의 것도, 셰익스피어의 것도, 나폴레옹의 것도, 마지막 거머리의 영혼 그 모두가 들어 있다. 내 속에서는 인간의 의식이 동물의 본능과 융합되어 그 모든 것을 모조리 기억하고 있다. 나는 하나 하나의 삶을 또다시 새로이 체험하고 있는 것이다.

연못에서 도깨비불들이 나타난다.

아르카지나 – (작은 소리로) 어쩐지 좀 데카당(퇴폐파)한 냄새가 나는군그래.

트레플레프 – (애원하듯 비난을 섞어서) 어머니!

니 나 – 나는 고독하다. 백 년에 한 번 나는 말하기 위해 입을 연다. 나의 목소리는 이 공허 속에서 쓸쓸히 울리지만, 아무도 듣는 사람은 없다. 너희들 창백한 불들도 내 말을 듣고 있지는 않다. 새벽녘에 썩은 연못이 너희들을 낳는다. 너희들은 아침 햇살이 비칠 때까지 방황한다. 사상도, 의지도, 생명의 약동도 없다. 생명의 눈뜸을 두려워하는, 영원한 물질의 아버지인 악마는 돌 속이나 물 속 같이 너희들 속에서도 원자를 교체하고 있다. 너희들은 끊임없이 변화하고 있다. 우주 속에 영원 불변한 것이 있다면, 그것은 영혼뿐이다. (사이) 텅 빈 우물 속에 던져진 죄인처럼, 나는 내가 어디에 있는지, 앞으로 어떻게 될지 모른다. 내가 알고 있는 것은, 다만 물질적 힘의 근원인 악마와의 격렬한 싸움에서 승리하여, 물질과 영혼이 아름답게 조화된 하나의 왕국이 출현한다는 것뿐이다. 그러나 그 왕국은 천 년, 또 천 년 후의 저 달도, 이 지구도 모두 먼지로 변한 뒤에 오는 것이다……. 그 때까지는 무서운 일뿐이다. (사이. 호수를 배경으로 두 개의 빨간 점이 나타난다) 아, 다가온다. 나의 강적인 악마가. 그의 무서운 불 같은 두 눈이……. 보인다…….

아르카지나 – 유황 냄새가 나는군. 그럴 필요까지 있을까?

트레플레프 – 네.

아르카지나 – (웃으며) 그렇지. 효과!

트레플레프 – 어머니!

니 나 – 악마는 사람이 없어 싫증이 난다…….

폴리나 – (도른에게) 어머나, 모자도 벗으시고! 자아, 어서 쓰세요, 감기 걸려요.

아르카지나 – 폴리나, 그건 말이지. 의사 선생님이 영원한 물질의 아버지인 악마 앞에 모자를 벗고 인사를 하시려는 거야.

트레플레프 – (버럭 화를 내며 큰 소리로) 연극은 중지야! 그만 해! 막 내려!

아르카지나 – 너, 왜 화났니?

트레플레프 – 그만 해! 막 내려! 막을 내리라니까! (발을 탕탕 구르며) 막을 내려! (막 내린다) 죄송합니다! 각본을 쓰거나, 연극을 공연하는 것은 소수의 선택된 자들만이 하는 것이라는 걸 그만 깜박했어요! 난 남의 독점권을 침범했어! 나에겐……. 아니, 나 같은 건……. (좀더 뭐라고 말하고 싶어졌으나 한 손을 흔들며 왼쪽으로 퇴장한다)

아르카지나 – 쟤가 왜 저러죠?

소 린 - 아르카지나, 그럼 안 되는 거야. 젊은 사람의 자존심을 그렇게 건드리다니!

아르카지나 - 내가 뭐라고 했나요?

소 린 - 너는 그 애에게 모욕을 주었어.

아르카지나 - 이건 웃음거리라고, 그 애 스스로 이미 말했어요. 그래서 그에 맞는 맞장구를 쳐 준 것뿐인데요, 뭘…….

소 린 - 글쎄, 그렇다고는 하지만 말이다…….

아르카지나 - 뭐요, 막상 뚜껑을 열어 보니 굉장한 역작이던가요? 맙소사! 그 애가 오늘 밤 연극을 꾸며, 유황 냄새를 풍긴 것은 나한테 시위를 하려고 한 것이었어요. 그 애는 우리에게 희곡을 쓰는 법과 연출법을 가르치려 들었다고요! 난 솔직히 말해서 그 애가 싫어요. 걸핏하면 일일이 내게 대들고, 비꼬고……. 그러니 누가 좋아하겠어요? 고집불통에다 근거없는 자만심이라니, 나 원 참.

소 린 - 그 애는 너를 위로해 주려고 한 거야.

아르카지나 - 어머나, 그래요? 그렇다면 평범한 연극을 하지, 왜 저런 세기말적인 잠꼬대 같은 것을 했을까요? 단지 웃음거리로라면야 잠꼬대든 뭐든 얼마든지 들어주겠지만, 뭐, 새로운 형식이니, 예술의 신기원이니 하는 가식이 보이잖아요? 하지만, 천만에요. 거기엔 새로운 형식도 뭣도 아무것도 없었어요. 단지 나쁜 근성만이 있을 뿐이에요.

트리고린 - 각자 쓰고 싶은 대로 쓰는 거죠.

아르카지나 - 그럼 제멋대로 쓰면 되잖아요. 이처럼 우릴 귀찮게 하지 말고.

도 른 - '주피터여, 그대는 노했노라…….' (이어서 '그러니 잘못은 그대에게 있노라' 하는 라틴 어의 속담. 도른은 이 말로 아르카지나

를 풍자한 것인데, 그녀는 깨닫지 못하고 있다)

아르카지나 – 난 주피터가 아니고 여자예요. (담배에 불을 붙인다) 화내는 게 아니에요. 젊은 놈이 시간 낭비를 하고 있는 게 안타까울 뿐이죠. 그 애에게 모욕을 줄 생각은 없었어요.

메드베젠코 – 아무에게도 영혼과 물질을 구별할 근거는 없죠. 어쩌면 영혼이라는 그 자체가 물질적 원자의 집합일지도 모르니까요. (활기를 띠면서 트리고린에게) 그런데 어떻겠습니까? 우리 교사들의 생활을 무대에 올려 보면요. 우린 괴롭습니다. 정말 괴로운 생활입니다!

아르카지나 – 그러시겠죠, 물론. 이제, 희곡이니 원자니 하는 이야기는 그만둬요. 이렇게 멋진 밤인데! 들리세요, 개의 노랫소리가? (귀를 기울인다) 정말 좋군요!

폴리나 – 호수 건너편이에요. (사이)

아르카지나 – (트리고린에게) 여기 제 옆에 앉으세요. 10여 년 전, 이 호수에서는 거의 매일 끊임없이 음악과 합창이 들렸었죠. 이 근처에 지주의 저택이 여섯 채나 있었거든요. 지금도 기억나요. 웃음소리, 왁자지껄하는 소리, 엽총 소리, 그리고 로맨스, 로맨스 말예요……. 그 당시 숭배의 대상이었던 분은 바로 저, (도른을 턱으로 가리키며) 도른 선생님이었죠. 지금도 매력적이지만, 그 땐 정말 말로는 형용할 수 없을 정도였어요……. 그건 그렇다 치고, 아아, 가슴이 아프군요. 뭣 때문에 내가 우리 가엾은 도련님에게 모욕을 주었을까? 걱정이 되는 군요. (큰 소리로) 코스챠! 얘, 코스챠!

마 샤 – 제가 가서 찾아볼게요.

아르카시나 – 그래, 부딕한다.

마 샤 – (왼쪽으로 간다) 트레플레프 씨! 트레플레프 씨! ……. (퇴장)

니 나 – (가설무대 뒤에서 나오면서) 더 계속할 것 같지 않으니 빨리

가야겠어. 안녕하세요? (아르카지나 및 폴리나와 키스를 한다)

소 린 - 브라보! 브라보!

아르카지나 - 브라보! 브라보! 브라보! 모두 감탄했어요 이렇게 예쁜 용모와 훌륭한 목소리를 시골에서 썩히다니, 그건 죄예요. 당신은 재능이 있어요. 무대에 서는 건 당신의 의무예요!

니 나 - 어머나, 그건 제 꿈이에요! (한숨을 쉬고) 하지만 그건 실현될 수 없을 거예요.

아르카지나 - 그걸 누가 알겠어요? 자, 소개해 드리죠. 이 분은 작가 트리고린 씨, 보리스 알렉세예비치예요.

니 나 - 아이, 너무 기뻐요……. (당황해하며) 선생님의 작품, 잘 읽고 있어요.

아르카지나 - (그녀를 자기 곁에 앉히면서) 그렇게 어려워할 건 없어요. 유명한 분이지만, 소탈한 분이니까요. 그 분이 오히려 더 부끄러워하는군요.

도 른 - 이제 막을 올려도 괜찮겠죠? 이거 원, 갑갑해서…….

샤므라예프 - (큰 소리로) 야코프, 막 올려! (막이 오른다)

니 나 - (트리고린에게) 어떻게 보셨어요? 좀 괴상하죠?

트리고린 - 잘 이해가 안 가는군요. 하지만 재미있게는 보았어요. 당신의 연기는 정말 진지하더군요. 그리고 무대장치도 제법 좋았어요. (사이) 이 호수에는 고기가 많을 테죠?

니 나 - 네.

트리고린 - 난 낚시를 좋아해요. 저녁 나절 물가에 앉아 찌를 보는 것만큼 즐거운 일도 없죠.

니 나 - 하지만 창작의 기쁨에 비하겠어요?

아르카지나 - (웃으면서) 칭찬의 말인가요? 이 분은 칭찬하는 소리를 들으면 사라지고 말죠.

샤므라예프 – 아직도 생생하게 기억납니다만, 언젠가 모스크바의 오페라 극장에서 유명한 저 실바(이탈리아의 가수)가 제일 낮은 도음을 낸 적이 있지요. 그런데 바로 그 때, 관람석에 있던 크레믈린 합창대의 저음 가수 한 사람이 '브라보! 실바!' 하고 고함을 질렀죠. 그런데 그게 완전히 한 옥타브 낮은 소리였다 이거예요……. 그러니까 이런 식으로 말이죠. (낮은 베이스로) 브라보! 실바……. 그러자 극장 안이 조용해졌죠. (사이)

도 른 – 정적의 천사 날아오도다. (자리가 갑자기 조용해졌을 때 하는 말)

니 나 – 전 이제 가 봐야겠어요. 안녕히 계세요.

아르카지나 – 이렇게 빨리? 보내 주고 싶지 않은데…….

니 나 – 아버지가 기다리고 계세요.

아르카지나 – 아버지가 엄하신가 봐요. (키스를 한다) 할 수 없죠, 서운하지만.

니 나 – 저도 여러분들과 좀더 같이 있고 싶어요, 하지만…….

아르카지나 – 바래다 드릴까요?

니 나 – (당황한 듯) 아니에요, 괜찮아요!

소 린 – (애원하듯) 좀더 있다 가요, 니나 양!

니 나 – 안 돼요, 소린 씨.

소 린 – 한 시간도? 어때요, 그쯤은…….

니 나 – (잠깐 생각하다가 울먹이는 소리로) 안 돼요! (악수하고 빠른 걸음으로 퇴장한다)

아르카지나 – 딱한 아가씨야. 사람들의 얘기로는 저 애의 돌아가신 어머니가 막대한 재산을 전부 남편에게 양도했대요. 그런데 저 애의 아버지는 그걸 몽땅 후처 명의로 해 버렸다는군요. 이제 저 애는 빈 털터리예요. 너무하잖아요?

도 른 - 정말 그 애 아버진 짐승 같은 사람이에요.

소 린 - (싸늘하게 얼어 버린 양손을 비비면서) 이제 우리도 가자고! 다리가 쑤신단 말이야.

아르카지나 - 오빠의 다리는 마치 나무로 만들어진 것 같군요. 겨우 걸음을 옮기시니. 자, 가요, 불쌍한 할아버지. (그를 부축한다)

샤므라예프 - (아내에게 한 손을 내밀며) 마담!

소 린 - 저런, 또 개가 짖고 있군. (샤므라예프에게) 제발 부탁인데, 저 개를 좀 풀어 주라고!

샤므라예프 - 안 돼요. 곡식 창고에 도둑놈이 들면 어떡하나요? 거기 엔 수수가 들어 있어요. (나란히 걷고 있는 메드베젠코에게) 완전히 한 옥타브 낮은 소리로 말이야, '브라보, 실바!' 그게 글쎄, 전문적인 가수도 아니고 기껏해야 교회의 합창대원이었으니 말예요.

메드베젠코 - 그 사람, 급료는 얼마나 받았을까요?

도른 이외는 모두 퇴장한다.

도 른 - (혼자서) 오늘 밤 연극의 각본은 정말 맘에 들어. 내가 정신 이 어떻게 된 건지는 모르지만, 어쨌든 맘에 들어. 거기엔 무엇인가가 있어. 그 처녀가 고독에 대해서 말하고 난 다음, 악마의 빨간 눈알이 나타났을 때 난 그만 흥분해서 손까지 떨렸지. 음……. 신선했어. 오, 이 친구가 오는 모양이군. 좋은 말을 좀 해 줘야겠군.

트레플레프 - (등장) 모두 가 버렸군.

도 른 - 여기, 한 사람 있네.

트레플레프 – 날 찾으려고 온 정원을 돌아다니고 있어요. 저 마샤는 지긋지긋한 여자예요.

도 른 – 이봐, 트레플레프 군. 난 자네 각본이 무척 마음에 들었네. 거 뭐랄까, 아주 기발하더군. 다 보지는 못했지만 아주 인상적이었어. 자넨 재능이 있어, 훌륭해!

트레플레프는 상대방의 손을 꽉 잡고, 와락 껴안는다.

도 른 – 이런, 감상적이 되어 버렸군. 눈물까지 글썽이다니……. 자네는 관념의 세계를 테마로 잡았는데, 그렇지, 그건 그렇게 해야 해. 왜냐하면 예술적인 작품이라는 게 반드시 무슨 거창한 사상만을 표현하는 것은 아니기 때문이지. 그런데, 왜 그렇게 얼굴이 창백한가?

트레플레프 – 그럼 제가……. 이 작업을 계속해도 된다는 말이군요.

도 른 – 그래. 하지만 진짜 중요하고 영원한 것이 무엇인지 알고, 그것만을 써야 해. 나는 이제까지 여러 가지 취미를 즐기며 살아왔네. 난 그것에 만족하고 있지. 그러나 만일 내가 예술가의 창작의 기쁨과 흥분을 단 한 번이라도 느낄 수 있었다면, 나는 당장이라도 나의 모든 물질적인 껍데기들을 경시해서 이 지상에서 사라져 버렸을 걸세.

트레플레프 – 말씀 도중에 죄송하지만, 니나 양이 어디 있는지 모르십니까?

도 른 – 그리고 거듭 말하지만, 작품에는 명료하고 일정한 사상이 있어야 되네. 내가 무엇 때문에 쓰는지를 잘 알고 있어야 해. 목적도 없이 어기석거리다간 당장 미아가 되어 스스로 무너지게 될 거야.

트레플레프 – (안타까운 듯이) 아, 네……. 그런데 어디 있어요, 니나 양은?

도 른 - 집에 갔어.

트레플레프 - (절망적으로) 아, 어떡하지? 그래, 그녀에게 갔다 와야겠어.

마샤 등장

도 른 - (트레플레프에게) 이봐, 진정하라고.

트레플레프 - 아니에요. 가야겠어요. 가야 해요.

마 샤 - 집으로 들어가요, 네? 트레플레프 씨. 어머님이 기다리십니다. 걱정하고 계세요.

트레플레프 - 나갔다고 전해 주세요. 제발 날 내버려 둬요! 제발. 뒤따라다니지 말고 말이야!

도 른 - 이런, 여보게……. 그런 말을……. 그럼 안 되지.

트레플레프 - (울먹이며) 감사합니다. 안녕히 계십시오, 의사 선생님. (퇴장)

도 른 - (한숨을 쉬고) 아직 너무 젊군!

마 샤 - 할 말이 없으면 다들 그러시는군요. ……젊다, 젊다……. (담배 냄새를 맡는다)

도 른 - (담뱃갑을 빼앗아서 덤불 속으로 던진다) 더러워! (사이) 다들 트럼프 놀이들을 하고 있는 모양인데, 나도 가 볼까?

마 샤 - 잠깐만요.

도 른 - 왜?

마 샤 - 선생님께 드릴 말씀이 있어서요. 잠깐만요……. (흥분해서) 전 우리 아버지보다 선생님과 의논하고 싶어요. 선생님이 더 가까운 분처럼 느껴져요……. 제발 저 좀 도와주세요, 네? 도와주세요. 그렇지 않으면 전 제 인생을 아주 엉망으로 만들게 될 거예요.

도 른 - 왜 그래? 뭔데?

마 샤 - 전 너무 괴로워요. 이 괴로움을 이해해 줄 수 있는 사람은 아무도 없어요. (상대방의 가슴에 얼굴을 파묻고 낮은 소리로) 전 트레플레프를 사랑하고 있어요!

도 른 - 원 세상에! 또 사랑 얘기야? '오오, 매혹의 호수여!'로군. (다정하게) 하지만 내가 너에게 도대체 무엇을 해 줄 수 있겠니, 응?

—막—

제2막

정오의 더위가 기승을 부리는 크리켓 코트. 오른쪽 깊숙이 커다란 테라스가 딸린 집이 있고, 왼쪽에는 반짝이는 호수가 보인다. 여기저기에 화단이 있고, 코트 옆 보리수 고목 그늘에 놓인 벤치에 아르카지나, 도른, 마샤가 앉아 있다. 도른의 무릎에는 책이 펼쳐져 있다.

아르카지나 - (마샤에게) 이제, 일어나자. (두 사람 일어선다) 넌 스물 둘, 나는 거의 두 배 가량이나 나이가 많아. 보세요, 도른, 누가 더 젊어 보이죠?

도 른 - 당신이죠, 물론.

아르카지나 - 그것 봐……. 무엇 때문일까? 마샤, 그건 말이야, 내가 활동하기 때문이지. 늘 무언가를 느끼고, 항상 신경을 쓰지. 그런데 넌 인제나 흰 곳에 기만히 앉아서 전혀 움지이지 않고 있어. 그리고 또 내겐 하나의 주의가 있지……. '미래를 내다보지 않는다'고 하는. 난 나에 대해서나 죽음에 대해서 한 번도 생각한 적이 없어. 어차피

올 건 오게 마련이니까.

마 샤 - 전 아주 옛날에 태어난 사람 같아요. 저 기다란 치맛자락을 질질 끌듯이 자기 생활을 끌고 있는 듯한 기분이에요……. 저에게는 살고 싶은 생각이 별로 없어요. (앉는다) 재미없죠. 이런 이야기? 이런 망상은 털어 버려야 되는데.

도 른 - (낮은 목소리로 왼다) '전해 다오, 오오, 꽃들이여…….' (구노의 가극 〈파우스트〉 제3막 지벨의 영창에서)

아르카지나 - 난 영국 사람처럼 예의를 지키지. 말하자면 팽팽하게 긴장된 기분으로 옷차림이나 머리 모양을 가꾸는 거야. 잠깐 집을 나올 때도, 하다못해 이렇게 정원에 나올 때도. 잠옷 바람으로 머리도 빗지 않은 채 돌아다닌 적은 한 번도 없어. 내가 이 나이에도 젊음을 유지할 수 있는 것은, 자기 자신에게 엄격했기 때문이야. (양손을 허리에 대고, 코트 안을 걸어다닌다) 자, 어때? 귀여운 병아리 같지? 난 열다섯 살 먹은 계집애로도 보일 수 있어.

도 른 - 네, 그렇습니다……. 난 계속 읽던 책이나 읽어야겠군요. (책을 손에 들고) 으음, 그러니까 밀가루 장수와 쥐 이야기였죠?

아르카지나 - 네, 쥐 이야기였어요. 읽어 주세요. (앉는다) 잠깐 이리 주세요, 제가 읽죠. (책을 받아들고 눈으로 찾는다) 쥐와……. 아, 여기로군……. (읽는다)

'그러므로 사교계의 부인들이 소설가를 자기 옆에 가까이하는 것은 밀가루 장수가 쥐를 곳간에 키우는 것만큼이나 위험하다. 그럼에도 불구하고 소설가는 여전히 환영을 받는다. 그리하여 여성이 어떤 마음에 드는 작가를 자신의 살롱에 두려고 생각했을 때는, 그녀는 찬사, 애교, 아첨 등의 모든 것으로 포위 공격을 한다…….' 흥, 프랑스에선 그럴는지 모르지만 이 러시아에선 어림도 없는 얘기지. 러시아 여자들은 작가를 손에 넣기도 전에 자기 쪽에서 먼저 열을 올리게 마련이거든. 맙소사, 나하고 트리고린 이야기로군……

소린이 지팡이에 의지하며 등장. 그 옆에 니나, 그 뒤에 메드베젠코가 바퀴 달린 안락의자를 밀면서 온다.

소 린 - (어린애를 어르는 듯한 투로) 아, 그래? 기뻐서 죽을 지경이라고? 그러니까 오늘은 모두 기분이 좋다 이건가? (누이동생에게) 기쁜 일이 있어! 아버지와 계모가 트베리에 가서 사흘이나 마음놓고 있을 수 있다 이거로군.

니 나 - (아르카지나 옆에 앉아서 그녀를 껴안는다) 전 정말로 행복해요! 이제 전 여러분의 것이에요.

소 린 - (자기 안락의자에 앉는다) 오늘, 이 아가씨는 정말 아름다운데.

아르카지나 - 그래요. 모양을 내서 나도 반할 정도예요. (니나에게 키스한다) 하지만 너무 칭찬하면 안 돼요, 귀신이 샘을 부리니까. 트리고린 씨는 어디 있죠?

니 나 - 수영장에서 낚시질을 하고 있어요.

아르카지나 - 싫증도 안 날까? (계속해서 읽으려 한다)

니 나 - 그게 뭐예요?

아르카지나 - 모파상의 〈물 위〉야. (두서너 줄 가량 묵독한다) 흥, 그 뒤로는 시시한 거짓말뿐이군. (책을 덮는다) 왜 이렇게 마음이 산란하지? 코스챠는 도대체 왜 그러는 거야? 왜 그렇게 험악한 얼굴을 하고 있는지……. 며칠동안 호수에만 있어서 얼굴도 잘 볼 수가 없어.

마 샤 - 울적하신 거예요. (니나를 향해 조심스럽게) 저어, 그 분의

희곡을 좀 읽어 주시지 않겠어요?

니 나 – (어깨를 움츠리고) 어머, 그걸?

마 샤 – (감격을 누르며) 그이가 낭독을 할 때면, 눈은 불타오르듯 빛나고, 얼굴은 창백해지죠. 우수가 깃든 매력적인 목소리와 몸짓은 마치 시인 같아요.

소린의 코고는 소리가 들린다.

도 른 – 그럼, 천천히 놀다 오십시오.

아르카지나 – 오빠, 오빠!

소 린 – 으응?

아르카지나 – 주무시는 거예요?

소 린 - 아니, 왜?

사이

아르카지나 - 오빠 치료를 안 하시는군요. 그럼 안 돼요, 오빠.
소 린 - 치료하고 싶은 생각은 태산 같지만, 이 의사 선생이 해 주겠
다고 말씀을 안 하시니.
도 른 - 나이 60에 무슨 치료예요?
소 린 - 60이 되어도 살고 싶긴 마찬가지라우.
도 른 - (내뱉듯이) 그래요? 그럼 쥐오줌풀 물약(쥐오줌풀 뿌리에서
만든 진정제)이라도 마시면 되잖아요.
아르카지나 - 어디 온천에라도 가시면 어떨까요?
도 른 - 글쎄요, 가도 좋지만, 안 가도 그만이죠.
아르카지나 - 무슨 말씀이세요? 어렵군요.
도 른 - 어려울 거 하나도 없어요. 아주 간단한 거죠.

사이

메드베젠코 - 담배를 끊으시면 괜찮아지실 거예요.
소 린 - 그런, 쓸데없는 소릴…….
도 른 - 쓸데없다니요! 술과 담배는 개성을 잃게 합니다. 시가 한 대
를 피우고 보드카 한 잔을 들이켜고 난 당신은, 이미 소린 씨가 아니
라, 소린 씨 더하기 그 누구죠. 자아가 점점 희미해져서 당신은 자신
을 '그'로 대하게 되는 겁니다.
소 린 - (웃으며) 아주 멋대로들 지껄이는군. 당신은 인생의 황금기

를 즐긴 사람이니까. 그렇지만 난 유감스럽게도 그렇지 못했지. 법무성에 28년 간이나 근무하긴 했지만, 솔직히 말해서 아직 생활이란 걸 해 본 적이 없어. 무엇 하나 즐긴 적도 없었어. 그러니 이제라도 제대로 살고 싶은 건 당연한 이야기가 아닐까?

당신은 아쉬울 게 없으니 철학에 취미를 가지는 거고, 난 살고 싶으니까 셰리 주를 마시고 담배도 피운다 이거지. 단지 그 차이야.

도 른 - 생명에 대해 좀 경외감을 가지세요. 67세나 되어서야 치료를 시작하면서, 젊었을 때 못 즐겼다고 징징댄다면, 실례지만 경솔하다고밖에 할 수 없군요.

마 샤 - (일어선다) 점심 시간이 다 되었을 거예요. (기운 없는 걸음걸이로 걸어간다) 아이, 발 저려……. (퇴장)

도 른 - 저렇게 발이 저리다는 핑계로, 점심 먹기 전에 보드카를 두 잔 들이켜는 거야.

소 린 - 복이 없는 아이야, 가엾게도.

도 른 - 그런 말씀 하지 마세요.

소 린 - 바로 그게 배불리 먹은 사람의 잔소리라는 거야.

아르카지나 - 아아, 세상에 이 시골보다 더 지루한 곳도 없을 거야! 덥고 조용하고 모두들 아무것도 하지 않고 철학만 하고……. 이렇게 함께 모여서 지루하게 철학을 운운하는 것보다 호텔 방에 틀어박혀서 대사를 외는 편이 차라리 낫겠어!

니 나 - (감격하여) 옳은 말씀예요! 그 맘 알 수 있을 것 같아요.

소 린 - 물론 도시가 좋지. 서재에 틀어박힐 수도 있고, 용건은 전화로……. 한길에는 마차도 있겠다, 게다가 맛있는 음식에…….

도 른 - (읽다) '전해 다오. 오오, 꽃들이여…….'

샤므라예프 등장, 이어 폴리나 등장

샤므라예프 – 여러분? 안녕하십니까, 모두 한자리에 계시는군요. (아르카지나의 손에, 이어서 니나의 손에 키스한다) 집사람 말로는 오늘 부인을 따라 시내로 간다는데, 정말인가요?

아르카지나 – 네, 그럴 작정이에요.

샤므라예프 – 음……. 그것도 좋긴 합니다만 무엇을 타고 가시죠, 부인? 오늘은 쌀보리를 운반하는 날이어서 일꾼들은 전부 손이 모자랍니다. 부인은 도대체 어떤 말을 쓰실 건지요?

아르카지나 – 어떤 말이라뇨? 그걸 제가 알게 뭐예요!

소 린 – 외출용이 있을 텐데.

샤므라예프 – (흥분해서) 외출용이라고요? 그럼 마구는 어떻게 하고요? 말만 하면 어디서 거저 생긴답니까? 이거 정말 놀랄 일인데요? 아무것도 모르시나 본데, 부인. 실례지만 전 부인의 재능을 숭배하고, 부인을 위해서라면 어떤 일도 하겠습니다만, 말만은 절대 안 됩니다!

아르카지나 – 하지만 내가 꼭 나가야 한다면 어떡하겠어요? 참, 이상하군요.

샤므라예프 – 몰라도 너무 모르시는군요. 농가의 경영이 어떤 것인지.

아르카지나 – (화를 발끈 내며) 뭐예요? 그럼 좋아요. 난 오늘 당장 모스크바로 돌아가겠으니, 마을에 가서 말을 빌려 줘요. 그것도 안 되면 역까지 걸어가겠어요!

샤므라예프 – (버럭 화를 내며) 그러시면 전 사직하겠습니다! 다른 집사를 구하십시오! (퇴장)

아르카지나 – 해마다 여름만 되면 이렇다니까. 여름마다 여기 와서 기분 나쁜 꼴을 당한다니까요! 이건 원, 이젠 절대 오지도 말아야지! (왼쪽으로 퇴장. 거기 수영장이 있는 느낌, 그녀가 집으로 걸어가는 게 보인다. 그 뒤에 트리고린이 낚싯대와 통을 들고 따라간다)

소 린 - (버럭 화를 내며) 어거지도 분수가 있지! 도대체 이런 법이 어딨어! 정말 기가 막힐 노릇이야. 즉시 여기다 말을 있는 대로 내놓 게!

니 나 - (폴리나에게) 아르카지나 같은 유명한 배우에게 거역하다니! 그 분 말이라면, 쓸모없는 일일지라도 댁의 경영보다는 중요한 게 아녜요? 기가 막혀서 말이 안 나오는군요!

폴리나 - (미안해 어쩔 줄 모르며) 어떻게 해야 좋을지 모르겠군요. 하지만 제 입장도 좀 생각해 주세요. 제가 어떡해야 할까요?

소 린 - (니나에게) 자, 동생한테 갑시다. 여럿이서 떠나지 말라고 부탁해 봅시다. 어때요? (샤므라예프가 가 버린 방향을 보며) 정말 지긋지긋한 놈이군! 폭군 같으니라고!

니 나 - (그가 일어서려는 것을 말리면서) 앉아 계세요, 앉으세요. 저희가 모시고 갈게요. (메드베젠코와 둘이서 의자를 민다) 아아, 정말 기분 나쁜 일예요.

소 린 - 정말 기분 나쁜 일이지……. 하지만 동생은 가지 않을 거야. 내가 이제 곧 해결할 테니까. (세 사람 퇴장. 도른과 폴리나만 남는다)

도 른 - 골치 아픈 치들이군. 당신 영감만 내쫓으면 될 텐데. 해결이란 게 결국은 늙어빠진 할머니 같은 소린 선생께서 누이동생과 화해하는 게 고작일걸. 어디 두고 봐요!

폴리나 - 그인 외출용 말까지 들판에 내보냈어요. 그뿐 아니라 이런 사고는 매일이에요. 그 때문에 제가 얼마나 고통을 당하는지……. 병이 나고 말 거야. 이것 보세요, 떨리는 걸……. 전 그이의 횡포에 정이 떨어졌어요.

(애원하듯이) 예브게니, 소중하고 그리운 예브게니, 절 데려가 주세요……. 시간은 쏜살같이 흐르죠. 우린 이미 젊지 않아요. 진정코, 앞으로는 숨기거나 거짓말을 하지 않고 살고 싶어요. (사이)

도 른 - 난 쉰다섯이에요. 새삼스럽게 생활을 바꾸기에는 너무 늦은 나이요.

폴리나 - 알고 있어요. 그런 말로 절 피하시는 건, 저 외에도 여자분이 얼마든지 있기 때문이라는 걸. 이런 말을 해서 미안해요. 이미 싫증이 나 버렸는데 말이죠.

니나가 집 옆에 나타나서 꽃을 딴다.

도 른 - 그럴 리가.

폴리나 - 전 질투 때문에 괴로워요. 그야 당신은 산부인과 의사니까 부인들을 멀리할 수야 없겠죠. 그건 알지만…….

도 른 - (다가온 니나에게) 어떻든가요, 안은?

니 나 - 아르카지나 씨는 울고 계시고, 소린 씨는 또 천식이 발작했어요.

도 른 - (일어선다) 어디 가 보고 두 사람에게 쥐오줌풀 물약이나 먹여야겠군.

니 나 - (그에게 꽃을 주며) 받으세요!

도 른 - 오, 고마워요. (집 쪽으로 가다)

폴리나 - (함께 걸으면서) 어머, 예쁜 꽃이군요! (집 옆에서 소리를 죽이고) 그것들을 주세요! 이리 달라니까요! (꽃을 받아서 잡아뜯더니

옆에 버린다. 두 사람 집으로 들어간다)

니 나 - (혼자서) 유명한 여배우가 그런 시시한 일로 울다니, 아무리 생각해도 이상해! 그리고 트리고린 씨도 이상해. 유명한 소설가로서 신문에 요란하게 나고, 사진이 실리고, 사람들에게 인기가 있고, 외국에까지 작품이 번역된 소설가라는 사람이 하루 종일 낚시질만 하고, 모래무지 두 마리를 낚았다면서 좋아하다니……. 정말 이해할 수 없는 일이야.

난 유명한 사람은 곁에도 못 갈 만큼 거만해서 세상 사람들을 얕보고 있을 거라 생각했는데. 가문이니 재산이니 하는 것만을 떠받드는 세상에 대해 명예나 명성으로써 복수하려는 것인 줄만 알고 있었어. 그런데 알고 보니 그 사람들도 울고, 웃고, 낚시질을 하고, 카드 놀이도 하고, 뭐야, 평범한 사람과 조금도 다르지 않잖아!

트레플레프 - (모자도 없이 등장. 엽총과 갈매기의 시체를 갖고 있다) 혼자야?

니 나 - 네, 그래요.

트레플레프, 갈매기를 그녀의 발 밑에 놓는다.

니 나 - 무슨 뜻이죠?

트레플레프 - 오늘 난 이 갈매기를 죽이는 비열한 짓을 했어. 당신 발 아래 바치는 거야.

니 나 - 왜 그러시죠? (갈매기를 들고 가만히 바라본다)

트레플레프 - (사이를 두고) 머지않아 나도 이렇게 나 자신을 죽일 거요.

니 나 - 정말 당신은 딴사람이 된 것 같아요.

트레플레프 - 그래요, 당신이 딴사람처럼 변해 버린 이후부터지. 당신의 태도는 확 변해 버렸어요. 눈초리까지 차가워져서 내가 곁에 있으면 무척 거북해하는군.

니 나 - 요즘 왜 이렇게 화를 잘 내는 거예요? 무슨 말을 할 때도 이상한 상징적인 말만 쓰고. 지금 이 갈매기만 해도 아마 무슨 상징인 모양인데, 미안하지만 전 모르겠군요. (갈매기를 벤치 위에 놓는다) 전 단순 무식해서 심오한 당신을 이해할 수가 없군요.

트레플레프 - 시작은 내 각본이 그런 창피를 당한 그날 밤부터지. 여자라는 건 실패를 용서해 주지 않거든. 난 내 각본을 몽땅 태웠어, 한 조각도 남기지 않고. 얼마나 비참했었는지!

당신이 냉정해진 것이 거짓말 같았어. 마치 호수가 말라 버렸거나, 땅속으로 꺼진 기분 같았어. 너무 단순해서 날 이해할 수 없다고? 아아, 이해 못 할 게 뭐가 있어? 그 각본이 마음에 안 들고, 그래서 날 비웃고, 날 다른 놈팡이들과 같이 보고 있잖아! (발을 탕 구르고) 알고 있어, 잘 알고 있다고! 아아, 골통에 못이 박힌 것 같아. 나의 피를 빨고 또 빠는 자존심과 함께 저주나 받아라.

(트리고린이 수첩을 보면서 오는 것을 보고) 흥, 진짜 천재가 오는군. 걸음걸이까지 햄릿과 꼭 같군. 손에는 책까지 드시고 말이야……. (조롱조로) '말, 말, 말이라…….' 저 태양이 옆에 오기도 전에 벌써 미소짓고 눈빛까지 황홀해지는군. 방해하진 않겠어. (빠른걸음으로 퇴장)

트리고린 - 안녕하십니까? 우린 사정이 생겨 아무래도 오늘 출발할 것 같습니다. 정말 유감이군요. 당신과 또 언제 만나게 될지……. 전 이렇게 젊고 아름다운 아가씨들을 대할 기회가 없어 작품을 쓸 때 아가씨들의 생각을 상상하기가 힘들죠. 해서 제 작품의 아가씨들은 엉망이랍니다. 그래서 말인데, 당신과 내가 역할을 바꿔, 아가씨들이 어떤 생각을 갖고 있는지 좀 알게 해 주시겠습니까?

니 나 - 좋아요. 저도 당신의 처지가 되어 보고 싶어요.

트리고린 - 왜요?

니 나 - 유명하고 훌륭한 작가란 어떤 것인지 궁금해서요. 유명하다는 것은 어떤 걸까요? 어떠세요, 유명해진 기분이?

트리고린 - 글쎄요, 별로 이렇다 할 게 없어요. (잠깐 생각하더니) 아무래도 당신은 나의 명성을 과대평가하고 있는 것 같군요. 아니면 내가 그 명성이라는 걸 실감하지 못하고 있거나.

니 나 - 자기 이야기가 신문에 난 것을 봐도요?

트리고린 - 칭찬을 받으면 기분이 좋고, 욕을 먹으면 한 이틀은 기분이 나쁘죠.

니 나 - 멋있어요. 제가 얼마나 부러워하고 있는지 모르시죠! 사람의 운명은 정말 가지가지인 것 같아요. 지루하고 남의 눈에 띄지 않는, 비슷비슷한 불행한 사람들이 있는가 하면, 당신처럼……. 백만 명에 한 명 꼴로 재미있고, 화려하고, 의욕에 가득 찬 생활을 하는 운명도 있으니까요. 행복하지 않으세요?

트리고린 - 제가요? (어깨를 움츠리며) 흥……. 당신은 명성이니 행복이니 하는 밝고 화려한 것들을 말하지만, 실례지만 그런 것들은 모두 내가 먹어 보지도 않고 싫어하는 마멀레이드와 같아요. 하지만, 당신은 매우 젊고 무척 순진하군요.

니 나 - 아니에요. 당신의 생활은 정말 멋있어요!

트리고린 - 아니, 그렇지 않아요. (시계를 꺼내 본다) 난 이제부터 가서 글을 써야 돼요. 용서해 줘요. 시간이 없어서……. (웃는다) 당신은……. 음, 이른바 '남의 아픈 곳'을 꼭 밟고 있군요. 약간 화가 나는데요?

좋아요, 잠깐만 더 얘기하죠. 나의 이 멋진 생활이라는 것에 대해서 말이죠……. (잠시 생각하고 나서) 강박관념이라는 거 알아요? 밤낮 쉴새없이 달만 생각하고 있으면 그렇게 되듯이, 내게도 그런 달이 있습니다. 밤이나 낮이나 오로지 한 가지 생각이 집요하게 달라붙어서 떨어지지 않죠. 내게 그 달은 '써야 한다, 써야지' 하는 것입니다. 작품을 하나 겨우 끝내고 나면, 또 벌써 다음 작품에 대해 구상하고 있죠. 그리고 그 다음도, 그 다음도 내내 그런 식이란 말입니다. 난 쓰는 재주 외에는 잘 하는 것이 하나도 없답니다. 이것이 멋진 생활입니까? 정말 지루하고 고단한 생활일 뿐이죠.

지금도 이렇게 당신과 이야기를 하고 있지만, 한편으로는 쓰다 만 소설 생각에 마음이 바쁘죠. 하늘에 떠 있는 그랜드 피아노 같은 모양의 구름만 봐도, '아, 이걸 어느 부분에 활용할까?' 하는 생각밖엔 안 들죠. '그랜드 피아노처럼 생긴 구름이 떠 있었다'고 말예요. 헬리오트로프의 향기가 난다면, 이러한 달콤한 향기와 색깔은 여름 저녁의 묘사에 쓰자고 생각하죠. 지금 이렇게 당신과 나누는 얘기도 다 다음 작품의 어느 부분에 쓸 것인지 한쪽 구석에 저장해 두고 있답니다.

그리고, 마침내 작품 하나가 끝나면, 난 연극이나 낚시질로 달아나 버립니다. 그렇다고 거기서 좀 쉴 수 있느냐? 허, 천만에요. 이미 머릿속에는 새로운 주제라는 무거운 쇳덩어리가 굴러다니며 빨리 쓰라고 또 재촉하죠. 늘 이런 식이어서, 마음 편할 때가 없어요. 마치 내 생명을 야금야금 갉아먹히고 있는 듯한 기분이지요. 나는 누군지도 모르는 막연한 대중에게 꿀을 주려고, 나의 가장 좋은 꽃에서 꽃가루를 긁어모으기 위해, 소중한 꽃을 잡아뜯고 그 뿌리를 밟아 죽이고 있다 이겁니다. 이게 과연 멋진 생활일까요?

내 주변의 가까운 사람들이 내게 하는 말이라고는 항상 '지금 무얼 쓰고 계십니까?', '이번엔 어떤 것입니까?' 라는 말뿐이죠. 그래서 난 그들의 찬사와 관심이 모두 거짓처럼 여겨집니다. 그리고는 모두 작당하여, 나를 정신병자로 몰아 내 앞에서만 적당히 찬사를 늘어놓고 있는 것은 아닌가 의심스러워지죠. 정신 차리지 않다가는, 포프리시친(고골리의 〈광인일기〉의 주인공)처럼 날 정신병원에 처넣지 않을까 하고 무서워질 때도 있다니까요.

그렇다면, 내가 겨우 무언가 쓰기 시작한 시절, 그러니까 닳아빠진 찬사를 받기 전의, 젊고 생기에 넘쳐 있던 시대에는 행복했을까요? 아닙니다, 나의 글쓰기 생활은 그저 고통의 연속입니다. 신출내기 작가라는 건 특히 고통스럽죠. 자기 스스로도 얼빠지고 치기 어린 무능자 같은 느낌이에요. 그들은 신경만 잔뜩 곤두세워 가지고, 정신없이 문학과 미술에 종사하고 있는 사람들의 주위를 방황하고 배회한답니다. 나를 인정해 줄 사람과 눈여겨 봐 줄 사람이 필요한 거죠. 하지만 난 그들을 똑바로 쳐다볼 용기조차도 없다 이겁니다. 마치 한 푼도 없는 노름꾼처럼 말입니다.

난 독자를 만난 적은 없지만, 어쩐지 그들이 무뚝뚝하고 의심 많은 인종처럼 생각되더군요. 세상이라는 게 무서웠어요. 내게 독자는 무서운 괴물과 같아요. 나의 작품이 상연될 때마다 나는 늘 검은 머리는 적의를 품은 자, 밝은 머리색은 냉담하고 무관심한 자라고 생각했어요. 오싹한 일이죠. 정말 뭐라고 말할 수 없는 고통의 나날이었습니다!

니 나 – 하지만 감흥이 일거나, 창작의 붓이 잘 달릴 때는 숭고한 행복감이 들지 않나요?

트리고린 – 그야 그렇죠. 쓰고 있는 동안은 살맛이 나죠. 교정을 보는 것도 재미있어요. 하지만, 막상 책이 되어 나오면 참을 수가 없어요. 차라리 안 쓰느니만 못하다는 생각 때문에 금방 우울해지고 말아요. (웃는다) 사람들은 읽고 나서, '잘 썼지만, 톨스토이에 비하면 어림도 없어' 혹은 '제법이군. 그러나 투르게네프의 〈아버지와 아들〉이 더 좋군' 이라고들 하죠. 내내 이런 식일 겁니다. 그리고 내가 결국 죽어 버리면 무덤 곁을 지나다가, '여기 트리고린이 잠들다. 좋은 작가였으나 투르게네프만은 못한.' 이라고들 할 거라는 거죠.

니 나 - 잘 이해가 안 가네요. 너무 성공에 도취돼 있는 것 아니신가요?

트리고린 - 성공이라고 하셨습니까? 난 한 번도 성공했다고 생각해 본 적이 없습니다. 난 내가 작가인 게 맘에 들지 않습니다. 늘 머릿속이 멍해서 내가 무얼 쓰고 있는지도 모르겠어요. 난, 이 물과 하늘, 숲이 좋습니다. 이것들에 대해 쓰지 않고는 못 배기게 만들죠. 하지만 난 단순히 풍경만 읊어대는 화가는 아니에요. 나는 사회인이기도 합니다. 나는 조국을, 민중을 사랑합니다. 내가 작가라면 마땅히 민중과 그들의 고뇌와 장래에 대해, 또 과학과 인간의 권리, 그 밖의 여러 가지 것에 대해서도 이야기할 의무가 있다고 생각합니다. 그래서 나는 뭐든 이야기하고 싶어하지만, 내가 마치 사냥개한테 쫓기는 여우처럼 이리저리 뛰고 있는 사이에, 어느 새 인생과 과학은 계속 발전하여, 나는 기차 시간을 놓친 농부처럼 뒤에 처지고 맙니다. 그래서 결국 나는 자괴감에 빠지고 말죠. '내가 할 수 있는 건 자연 묘사뿐이다. 다른 것은 전부 가짜다' 하고 괴로워한답니다.

니 나 - 너무 과로하셔서 선생님의 가치를 느낄 새도 없으신 것 같아요. 본인은 만족하지 못하지만, 다른 사람에게는 위대하고 훌륭해 보여요. 제가 당신 같은 작가라면 제 일생을 민중에게 바치겠어요. 그러면 민중은 아마도 나를 축제의 마차에 태워서 끌고 다닐 거예요.

트리고린 - 축제의 마차요……? 내가 무슨 아가멤논인가! (두 사람 미소짓는다)

니 나 - 전, 작가나 여배우만 될 수 있다면, 주위 사람들의 미움을 받든 가난하든 환멸을 느끼든 뭐든 이겨낼 수 있을 것 같아요. 지붕 밑 다락방에서 검은 빵만 먹으며, 자신에 대한 불만이나 미숙함에 괴로워해도 좋아요. 그 대신 명성만……. 떠나갈 듯이 요란한 명성만 얻을 수 있다면……. (양손으로 얼굴을 가린다) 어지러워……. 아아!

아르카지나의 목소리 - (집 안에서) 트리고린 씨!

트리고린 - 아, 날 부르고 있어요. 짐을 챙기는 모양이에요. 아, 정말 떠나고 싶지 않군. (호수 쪽을 뒤돌아보며) 멋지군! 아, 이 얼마나 아름다운 자연의 은혜인가!

니 나 - 저 건너편에 있는 집과 정원이 보이시나요?

트리고린 - 네.

니 나 - 제가 태어난 곳이에요. 돌아가신 어머니의 집이었지요. 전 내내 이 호숫가에서 살았기 때문에 이 부근에 대해 전부 알고 있어요.

트리고린 - 여긴 정말 멋진 곳이에요! (갈매기를 보고) 근데, 이건 뭡니까?

니 나 - 갈매기예요. 트레플레프 씨가 쏜 거라는군요.

트리고린 - 아름다운 새인데……. 아, 아무래도 떠나기가 싫군요. 아르카지나 씨를 설득해 주세요. 좀더 있을 수 있도록……. (수첩에 써 넣는다)

니 나 - 쓰시는 게 뭐예요?

트리고린 - 주제가 생각나서 말예요. (수첩을 집어넣으면서) 자그마한 단편의 주제인데요, 호숫가에 꼭 당신 같은 젊은 아가씨가 어릴 적부터 살고 있습니다. 갈매기처럼 호수를 좋아하고, 갈매기처럼 행복하고 자유로웠던 그 아가씨는 어느 날 우연히 나타난 한 사나이의 심심풀이 대상이 되어 파멸하고 말죠. 바로 이 갈매기처럼요.

사이. 아르카지나가 나타난다.

아르카지나 - 트리고린 씨, 어디 계시죠?
트리고린 - 네, 여기 있어요! (가다 말고 니나를 돌아본다. 창문 곁에서 아르카지나에게) 왜 그러시죠?
아르카지나 - 우린 여기 좀더 머물 거예요.

트리고린 집 안으로 들어간다.

니 나 - (푸트라이트 쪽으로 다가선다. 한참 생각에 잠겼다가) 모든 게 꿈 같아!

−막−

제3막

소린 집안의 식당. 양쪽에 문이 있다. 약품이 든 작은 장이 있고, 방 한가운데에는 테이블이 놓여 있다. 여행 가방과 모자 상자 등이 있는 것으로 보아 떠날 준비를 하는 것 같다. 아침을 먹고 있는 트리고린 옆에 마샤가 테이블을 곁에 두고 서 있다.

마 샤 - 작가 선생님이시니 말씀드리는 거예요. 작품에 쓰셔도 좋아요. 그이의 상처가 중상이었다면 전 1분도 살지 못했을 거예요. 그러나 이래봬도 전 용기 있는 여자죠. 그래서 전 결심했어요. 이 사랑을 가슴에서 뽑아 버리기로요. 그것도 뿌리째 뽑기로 했어요.

트리고린 - 그래, 어떤 식으로?

마 샤 - 메드베젠코에게 시집갈 거예요.

트리고린 - 그, 선생에게?

마 샤 - 네.

트리고린 - 그럴 필요까지 있을까?

마 샤 - 희망도 없는 사랑을 하며 허송세월을 보내느니 잊는 게 나아요. 일단 시집을 가 버리면 그 땐 생활하느라 사랑 같은 건 생각할 겨를도 없을 거예요. 그것만으로도 이 지긋지긋한 생활에서 벗어날 수 있을 거예요. 한 잔 더 하시겠어요?

트리고린 - 글쎄, 과하지 않을까?

마 샤 - 괜찮아요! (한 잔씩 따른다) 그렇게 보지 마세요. 여자도 잘 마신다고요. 드러내고 마시지 않아서 그렇지. 그것도 꼭 보드카 아니면 코냑이죠. (술잔을 부딪치고) 건강하세요! 좋으신 분인데, 이렇게 가시니 서운하군요. (두 사람 잔을 비운다)

트리고린 - 나도 떠나고 싶지 않은데……

마 샤 - 그러면, 마님께 더 있자고 하시면 되잖아요.

트리고린 - 아니, 더 있고 싶은 생각이 없을 거요. 그 아들이 엉뚱한 짓만 저지르니까. 권총자살을 하지 않나, 내게 결투를 신청하지 않나. 도대체 왜 그러는지 모르겠어. 화만 내고 불평불만이 가득하지. 게다가 새로운 형식론이나 떠들어대고 말이야. 새로운 것이나 낡은 것이나 간에 모두 함께 공존할 만한 가치가 있는 것인데……. 도대체 왜 그러는지 모르겠단 말이야.

마 샤 - 질투 때문이에요. 내가 알 바는 아니지만요.

사이. 야코프가 왼쪽에서 오른쪽으로 가방을 들고 지나간다. 니나가
등장하여 창문께에서 멈춰 선다.

마 샤 - 메드베젠코는 똑똑하진 않아도 그런 대로 좋은 사람이에요.
또 나를 무척 사랑해 주고요. 그렇지만 가난해서……. 불쌍해요. 늙은
어머니도 불쌍하고. 그럼, 안녕히 가세요. 여러 모로 친절하게 해 주
셔서 감사합니다. 책이 나오거든 보내 주세요, 네? 꼭 사인도 해 주세
요. '누군지도 모르고, 왜 사는지도 모르는 마리아에게' 라고 적어서
말이에요. 그럼 안녕히! (퇴장)
니 나 - (주먹 쥔 한 손을 트리고린에게 내밀며) 이게 짝수이게요, 홀
수이게요?
트리고린 - 짝수.
니 나 - (한숨을 쉬며) 아니에요, 손 안에는 콩이 한 알밖에 없어요.
내가 여배우가 되어야 하는지, 아닌지, 점쳐 본 거예요. 누구라도 좀
어떻게 하라고 말해 주었으면 좋겠어요.
트리고린 - 그런 말을 해 줄 사람은 어디에도 없어요. (사이)
니 나 - 이제 헤어지는군요. 아마 두 번 다시 뵙지 못하겠죠? 기념으
로 이 로켓을 받아 주세요. 당신의 이니셜을 새겼어요. 이쪽에 새긴
것은 〈낮과 밤〉이라는 당신의 책 제목이에요.
트리고린 - 아름답군! (로켓에다 키스한다) 다시없이 좋은 선물입니
다!
니 나 - 이걸 보시며, 저를 생각해 주세요.

트리고린 - 생각하고말고요. 저 맑게 갠 그 날의 당신이 생각날 거예요. 일주일 전, 당신은 연한 빛깔의 옷을 입고 있었죠……. 그리고 그때 벤치에는 흰 갈매기가 놓여 있었고…….

니 나 - (생각에 잠기면서) 네, 갈매기가……. (사이) 더 이야기할 수가 없어요. 누가 와요. 떠나시기 전에 2분만 시간을 내주세요, 꼭이요! (왼쪽으로 퇴장. 동시에 오른쪽에서 아르카지나와 연미복에 훈장을 단 소린, 그리고 짐 꾸리기에 바쁜 야코프 등장)

아르카지나 - 노인네는 여기 이렇게 가만히 계세요. 류머티즘이 이렇게 심해서야 누굴 찾아가겠어요? (트리고린에게) 지금 나간 사람은 니나예요?

트리고린 - 네.

아르카지나 - 미안해요, 방해를 했군요……. (앉는다) 이제야 정리가 되었군. 아아, 피곤해.

트리고린 - (로켓의 글씨를 읽는다) 〈낮과 밤〉 121페이지, 11행과 12행.

야코프 - (테이블 위를 치우면서) 낚싯대도 넣어야죠?

트리고린 - 응. 하지만 책은 누굴 주든지 전부 없애 버려.

야코프 - 네, 네, 알아모시겠습니다요.

트리고린 - (독백) 121페이지, 11행과 12행. 거기 뭐가 있더라? (아르카지나에게) 이 집에 혹시 내 책이 있소?

아르카지나 - 오빠 서재에 있을 거예요.

트리고린 - 121페이지라……. (퇴장)

아르카지나 - 오빠, 제발 여기 가만히 계세요, 네?

소 린 - 혼자 우두커니 있긴 싫다.

아르카지나 - 시내에 가면 무슨 뾰족한 수가 있나요?

소 린 – 그래, 별 뾰족한 수가 있는 건 아니다만, (웃는다) 현회 건물의 상량식도 있고 말이지……, 몇 시간만이라도 이 동면하는 꼬치고기(시체드린의 동화 〈영리한 꼬치고기〉에서) 같은 생활에서 벗어나야 해. 그렇지 않으면, 난 선반 구석에서 먼지투성이가 된 낡은 파이프가 될 게다. 1시에 마차가 올 테니, 그 때 함께 가자.

아르카지나 – (사이를 두고) 그렇게 하면, 여기서 사시는 거예요. 알았죠? 그 애를 좀 보살펴 주시고, 인도해 주세요. 감시 좀 해 달라고요. (사이) 내가 없으면, 콘스탄친이 왜 권총자살을 하려고 했는지, 그것도 모르겠군요. 아마 질투였겠지요. 그 애를 위해서도, 트리고린과 내가 한시바삐 여기서 나가는 게 좋을 거야.

소 린 – 글쎄, 뭐랄까? 그것 말고도 원인은 많을 게다. 한창 나이의 똑똑한 남자가 시골 구석에서 썩는다는 게 쉬운 일은 아니지. 돈도 지위도 없고, 미래에 대한 희망까지 없고 보니 살고 싶지 않았겠지. 그 애는 귀엽고, 날 따르기도 하지만, 자기가 이 집에서 쓸모없는 존재라는 것에, 더부살이한다는 생각에 자존심이 많이 상한 게야…….

아르카지나 – 정말 어떻게 해야 할지! (생각에 잠기며) 직업을 가져 보는 게 어떨까요?

소 린 – (휘파람을 휙 불고는) 난 말이야, 네가 그 애에게 돈을 좀 주면 어떨까 하고 생각하는데 말이지. 그 앨 좀 보렴. 헌 프록코트를 3년 동안이나 걸치고, 외투도 없잖니. 사람다운 몰골을 좀 만들면, 젊은 놈에겐 기분전환이 될 게다. 어디 외국에라도 보내 보든지, 별로 돈도 많이 들지 않을 거야.

아르카지나 – 글쎄요……, 옷까지는 해 줄 수 있지만, 외국까지는……. 아녜요, 지금 같아서는 옷도 안 되겠어요!

소린 웃는다.

아르카지나 – 안 된다니까요!

소 린 – (휘파람을 분다) 그래, 그래. 미안. 용서해 다오. 네 말이 맞겠지. 설마 인심이 후하고 너그러운 네가 괜히 우는소리를 하겠니?

아르카지나 – (눈물을 글썽이며) 돈이 없다니까요!

소 린 – 내게 돈만 있어도 그 애에게 당장 내줄 텐데. 하지만 나도 역시 빈털터리구나. 그나마도 연금은 지배인이 몽땅 가져가서는 농사니, 목축이니, 벌꿀이니 하고 다 써 버렸거든. 덕분에 나는 그 본전도 못 찾고 있지. 벌도, 소도 다 죽어 버리고, 말도 내 맘대로 탈 수가 없어.

아르카지나 – 저도 전연 돈이 없는 건 아니에요. 어쨌든 난 여배우로서 아직 활동하고 있으니까요. 하지만 그 여배우의 의상값이라는 게…….

소 린 – 그래그래, 알고 있다. 그렇겠지. 그런데 왜 이렇게 갑자기…… (비틀거린다) 현기증이 나는지……. (테이블을 붙잡는다) 기분이 안 좋구나.

아르카지나 – (놀라서) 오빠! (그를 부축하려고 애쓰면서) 오빠, 정신 차려요…….

(외친다) 누구 없어! 누구 빨리 좀 와 봐!

머리에 붕대를 감은 트레플레프와 메드베젠코 등장.

아르카지나 – 기분이 안 좋으시다는구나!

소 린 – 아냐, 이제 괜찮아……. (미소 지으며 물을 마신다) 이젠 괜찮다…….

트레플레프 – (어머니에게) 놀라지 마세요, 엄마. 괜찮아요. 아저씨 요즘 종종 이러세요. (아저씨에게) 아저씨, 좀 이렇게 누워 보세요.

소 린 – 음……. 그래도 어쨌든 읍내에는 가야겠다……. 좀 쉬었다 떠나야겠어. 두말하면 잔소리지……. (지팡이에 의지하여 걷는다)

메드베젠코 – (부축하며) 그거 아세요? 아침에는 네 발, 낮에는 두 발, 저녁에는 세 발…….

소 린 – (웃는다) 맞았어. 그리고 밤에는 똑바로 눕겠지. 고맙네, 이 젠 혼자 갈 수 있어.

메드베젠코 – 체면이 뭐가 중요해요? 이렇게 기대세요. (소린과 함께 퇴장)

아르카지나 – 아, 너무 놀랐어!

트레플레프 – 아저씨 시골에서 지내시는 것 때문에, 우울증이 생긴 것 같아요. 엄마가 천 5백 루블이나 2천 루블만 빌려드리면, 아저씬 1년쯤 읍내에서 사실 수 있을 거예요.

아르카지나 – 얘야, 난 돈이 없어. 난 여배우지 은행가가 아냐.

사이

트레플레프 – 어머니, 붕대 좀 갈아 주세요. 어머니는 그런 걸 잘 해 주시죠.

아르카지나 – (약장에서 소독약과 붕대를 꺼낸다) 그런데, 의사 선생 님이 많이 늦으시는구나.

트레플레프 – 10시쯤 오신다더니……. 벌써 점심때가 다 되었네.

아르카지나 – 이쪽으로 앉아라. (그의 머리에서 붕대를 푼다) 꼭 터

번 같구나. 어제는 어떤 사람이 너를 보고는 어느 나라 사람이냐고 묻더구나. 이젠 거의 다 나았다. 조금만 있으면 완전히 다 낫겠는데? (그의 머리에 입을 맞춘다) 내가 간 뒤에 또 '탕' 하는 건 아니겠지?

트레플레프 — 그럼요, 어머니. 그 때 전 너무 절망적이었어요. 이제 그런 일은 없을 거예요. (어머니 손에 키스한다) 아아, 이 손······. 어머닌 정말 부지런하시죠. 어머니가 국립극장에 나가시던 시절이었죠, 아마. 내가 아주 어릴 때였어요······. 아파트의 안마당에서 싸움이 벌어져, 셋방살이하는 세탁부가 너무 맞아 기절하고 말았어요. 어머니는 그 여자를 일으켜서 약을 가져다 발라 주고, 아이들을 목욕시켜 주기도 하셨어요······. 기억나세요?

아르카지나 — 모르겠는데? (새 붕대를 감는다)

트레플레프 — 우리하고 같은 아파트에 살던 발레리나 두 사람이 있었잖아요? 우리 집에 종종 커피를 마시러 왔었죠······.

아르카지나 — 아, 기억난다.

트레플레프 — 그 사람들은 정말 신앙이 깊었죠. (사이) 요즘 전 그 일이 있은 후, 마치 어린애처럼 어머니에게 응석을 부리고 싶어요. 어머니만을 사랑하고 있다고요. 그런데 어머닌, 왜 그런 작자하고 어울려 다니시는지 모르겠어요. 빚 때문이세요?

아르카지나 — 콘스탄친, 넌 그 사람을 잘 몰라. 그 분은 아주 훌륭한 사람이야.

트레플레프 — 그런 사람이 내가 결투를 하자니까, 도망을 가는군요. 비겁하게! 떠난다고요?

아르카지나 — 그런 소리 하지 말아라! 떠나 달라고 부탁한 건 나야.

트레플레프 — 그렇게 훌륭한 사람이, 자기 때문에 이렇게 모자간에 싸움이 벌어지고 있는데, 도대체 뭘 하고 있나요? 지금쯤 어느 구석에서 우릴 비웃고 있거나 니나를 꼬드기고 있을 거예요. 자기의 천재성에 대한 이미지를 니나에게 심어 주려고 아주 애쓰고 있을 거란 말예요!

아르카지나 - 그 분에 대해 그렇게 말하면 속이 시원하니? 그 분은 네 엄마가 존경하는 사람이다. 그러니 함부로 말하지 말아라.

트레플레프 - 조금도 존경스러운 인물이 아니에요, 어머니! 전 거짓말은 못 해요. 그 분은 천재가 아니라고요. 죄송하지만, 그 작자의 글은 정말 역겨워요.

아르카지나 - 그게 바로 질투라는 거야. 재능은 없는데 야심만 있는 사람은, 재능 있는 사람을 깎아내리는 수밖에 없는 거야. 설마 네가 그런 사람이 되고 싶은 건 아니겠지?

트레플레프 - (비꼬듯이) 재능이 있다고요? (분연히) 분명히 말씀드리지만, 전 그 작자보다 훨씬 재능이 뛰어나요. 어머니나 그 작자들처럼 낡은 껍질을 뒤집어쓴 채 예술의 왕좌에서 자기들만 옳다고 하는 것이야말로, 다른 재능 있는 사람을 질식시키는 일이라고요! 인정할 수 없어요. 절대로! 어머니나 그 작자나.

아르카지나 - 이런, 세기말적이군.

트레플레프 - 어서, 어머니가 좋아하시는 극장으로 가서 맥빠진 신파극이나 하세요!

아르카지나 - 신파극 따윈 해 본 적이 없다. 내 일은 걱정말고, 네 일이나 신경 써라! 시답잖은 오락극 하나도 제대로 못 쓰면서……. 식충이 같은 자식!

트레플레프 - 구두쇠!

아르카지나 - 거지!

트레플레프 앉아서 조용히 운다.

아르카지나 ― 이런 바보같이! (흥분해서 정신없이 왔다갔다하며) 울지 말아라, 울지 마. (운다) 됐어, 됐다니까……. (아들의 이마와 볼에 키스한다) 귀여운 내 아들, 용서해라……. 이 나쁜 엄마를 용서해 주겠지?

트레플레프 ― (어머니를 안으며) 어머니, 전 모든 걸 잃어버렸어요! 그녀는 나를 사랑하지 않아요. 전 이제 글을 쓰고 싶지도 않아요. 모든 희망이 사라져 버렸어요…….

아르카지나 ― 아냐, 그렇지 않아. 모든 게 잘 될 거야. 우리가 떠나고 나면, 그 애는 다시 널 좋아할 거야. (아들의 눈물을 닦아 준다) 자, 이제 그만, 그만 그치렴…….

트레플레프 ― (어머니 손에 키스하고) 네.

아르카지나 ― (다정하게) 이제, 결투 같은 건 하지 않을 거지?

트레플레프 ― 네, 그렇게 하겠어요. 하지만, 어머니, 그 사람과 마주치고 싶지 않아요. 전 그 사람 얼굴만 봐도 괴로워요. (트리고린 등장) 저기 오는군. 가겠어요……. (약품을 재빨리 약장에 집어넣는다) 붕대는 의사 선생님께 감아 달라죠, 뭐.

트리고린 ― (책의 페이지를 찾으며) 121페이지……. 11행과 12행……. 여기 있군……. (읽는다) '언젠가 제 생명이 필요하시거든 와서 가져가세요.'

트레플레프, 바닥에 떨어진 붕대를 주워 가지고 황급히 퇴장.

아르카지나 ― (시계를 보며) 이제 곧 마차가 올 거예요.

트리고린 - (혼잣말로) 언젠가 제 생명이 필요하시거든 와서 가져가세요.

아르카지나 - 짐은 다 꾸렸겠죠?

트리고린 - (안타까운 듯이) 음, 그래요……. (생각에 잠기며) 이 청순한 글에서 왜 비애의 소리가 들리는지……. 왜 이 가슴이 이렇게 안타까운지……. '언젠가 제 생명이 필요하시거든 와서 가져가세요' (아르카지나에게) 우리 하루만 더 있으면 안 돼요?

아르카지나 고개를 가로젓는다.

트리고린 - 아, 일정을 조금만 더 연기합시다!

아르카지나 - 당신이 왜 그러시는지 알아요. 하지만 자제할 줄도 알아야죠. 정신 좀 차리세요!

트리고린 - 그럼, 당신이 정신을 차리고 봐 줘요. 총명하고 분별 있게 이 문제를 찬찬히 봐 주라고! 제발, 진실한 친구로서. (여자의 손을 잡고) 내 친구가 돼 줘. 그 애에게 가게 해 줘.

아르카지나 - (매우 흥분해서) 이렇게 얼빠진 인간이 있나!

트리고린 - 아무래도 안 되겠어! 너무 끌려. 이것이야말로 내가 찾던 것이 아닐까?

아르카지나 - 시골 처녀의 사랑 말이지요? 품위를 좀 지키세요!

트리고린 - 걸어다니면서 잠잘 때가 있지. 바로 지금이 그래. 당신과 얘기하고 있으면서도 난 그 애의 꿈을 꾸고 있어. 뭐라 말할 수 없는 달콤한 꿈의 포로……. 부디 그 애에게 가게 해 줘.

아르카지나 - (떨면서) 안 돼요, 안 돼……. 나도 평범한 여자예요. 이제 그 이야긴 그만 해요. 나를 괴롭히지 말아요, 보리스……. 난 무섭다고요!

트리고린 - 아냐, 당신은 마음만 먹으면 언제든 비범한 여자가 될 수 있어. 난 당신이 얼마나 희생정신이 강한지 알고 있어. 환상의 세계로 데려다 주는 황홀하고 시적인 사랑……. 그것만이 행복을 가져다 줄 수 있어! 난 그런 사랑을 아직 맛본 적이 없어……. 젊었을 때는 가난과 싸우느라 그럴 여유가 없었지. 이제야 겨우 그것이, 그 사랑이 드디어 찾아왔는데, 왜 피해야 하는 거야? 왜, 왜?

아르카지나 - (화가 나서) 미쳤군요!

트리고린 - 그래, 내가 미쳤는지도 모르지. 그래도 할 수 없어.

아르카지나 - 아, 모두들 날 괴롭히기로 약속이라도 했나요? (운다)

트리고린 - (자기 머리를 쥐고) 정말, 이해를 못 하는군! 도무지 이해하려 들지를 않아!

아르카지나 - 그렇게도 저에게 싫증이 났나요? 제가 늙고 보기 싫어졌어요? 어떻게 감히 다른 여자에게 보내 달라고 그럴 수가 있죠? (사내를 껴안고 키스한다) 아아, 당신은 지금 제정신이 아니에요, 나의 소중한 보리스……. 당신은……. 이제 내 인생의 마지막 카드란 말이에요! (무릎을 꿇는다) 오, 나의 기쁨, 나의 행복……! (그의 무릎을 안는다) 만약 당신에게 버림받는다면 난 죽어 버릴 테예요. 미쳐 버릴 거야! 아, 나의 왕이시여!

트리고린 - 조용히 해요, 누가 와요. (그녀를 부축해 일으킨다)

아르카지나 - 오면 어때요? 부끄러울 게 뭐가 있어요? (남자의 두 손에 키스한다) 나의 소중한 보배, 나쁜 사람. 당신은 불장난을 하고 싶겠지만, 아냐, 절대 놓아 주지 않겠어……. (웃는다) 당신은 내 것이에요, 내 것. 이 이마도, 이 눈도, 이 아름답고 비단결 같은 머리칼도……. 당신이야말로 진정한 천재이고, 어느 작가보다도 훌륭하며, 러시아의 유일한 희망이에요. 당신의 필치에는 진실이 있어. 신선하며 건전한 위트가 있어요. 당신의 펜을 따라 모든 인물과 풍경이 살아나죠. 누가 당신의 글을 읽고 반하지 않을 수 있을까!

아첨한다고요? 제 눈을 보세요, 이것이 아첨하는 자의 눈인가! 당신의 위대함을 이해하는 것은 나뿐이에요. 진실을 아는 것도 나뿐이에요. 떠날 거죠? 그렇죠? 날 버리진 않겠죠?

트리고린 ― 아, 내겐 의지라는 게 없어……. 난 확고한 자신의 의지를 가져 본 적이 없어. 이런 얼빠진 놈 같으니……. 도대체 이래서야 어디 여자에게 환영받을 수 있을까? 그래요, 그럼 자, 날 꼭 잡고 어디든 데리고 가라고. 내 곁에서 잠시도 떠나지 말고…….

아르카지나 ― (독백) 이젠 내 것이야. (시치미를 떼고 마이동풍 격으로) 하지만 당신이 그렇게 원하신다면 혼자 남으셔도 좋아요. 난 떠나겠어요. 당신은 좀더 있다 오세요. 별로 바쁜 일도 없을 테니까요.

트리고린 ― 아냐, 이렇게 된 이상 우리 함께 떠납시다.

아르카지나 ― 좋으실 대로 하세요. 함께 가시려면 가시고……. (사이)

트리고린 수첩에 뭔가 써 넣는다.

아르카지나 ― 뭐예요?

트리고린 ― '처녀림'이란 거요. 오늘 아침 처음 들었는데, 멋지지? 아마 써먹을 때가 있을 거야. (기지개를 켠다) 그럼, 언제 가지? 또 기차나 정거장, 식당, 커틀렛, 잡담들이군…….

샤므라예프 ― (등장) 마차가 준비되었습니다. 부인, 정거장으로 떠날 시간입니다. 기차가 2시 5분에 도착하니까요. 그리고 부인, 대단히 죄송합니다만, 배우인 수즈달리 체프가 현재 어디 있는지 꼭 좀 알아

봐 주시기 바랍니다. 아직 살아 있을까요? 건강할까요? 예전엔 함께 술도 마셨었는데……. 저 〈우편강도〉(19세기말 멜로드라마의 제목) 같은 걸 시키면 천하일품이었지요……. 그러니 생각나는데, 엘리자벳 그라드에서는 비극 배우인 이즈마일로프가 나왔어요. 상당한 걸작이 었답니다. 아니, 부인, 그렇게 서두르실 건 없습니다, 아직 5분은 끄떡없어요. 언젠가는 그치들이 반역자의 역을 했을 때였는데, 별안간 경찰이 들이닥치는 장면에서 '아뿔싸, 함정에 빠졌구나!' 라고 해야 하는 것을 이즈마일로프는 그만 '아뿔싸, 항아리에 빠졌구나!' 라고 해서……. (크게 웃는다) '항아리에 빠졌구나!'

그 동안에 야코프는 여행 가방을 챙기고, 하녀는 모자, 망토, 우산, 장갑들을 아르카지나에게 갖다 준다. 모두가 아르카지나의 몸치장을 돕는다. 왼쪽 문에서 요리사가 들여다보다 한참 주저한 끝에 조심스럽게 들어온다. 폴리나, 그 뒤에 소린과 메드베젠코 등장.

폴리나 – (광주리를 들고) 차에서 이 자두나 좀 드시라고……. 참 달아요. 가끔은 이런 것도 괜찮죠.
아르카지나 – 어머나, 고마워요.
폴리나 – 안녕히 가세요, 마님! 혹시 뭐 불편한 점이 있었다면 용서해 주세요. (운다)
아르카지나 – (그녀를 껴안고) 아니에요, 좋았어요, 다요. 이렇게 우는 것만 빼고.
폴리나 – 우리의 시간은 쏜살같이 빠르게 지나가 버리지요!
아르카지나 – 어쩔 수 없지!
소 린 – (망토에 중절모를 쓰고, 지팡이를 들고 왼쪽 문에서 등장. 방

을 가로지르며) 시간이 벌써 다 됐다. 늦지 말아야지. 난 먼저 마차에 타고 있겠다. (퇴장)

메드베젠코 – 정거장까지 걸어가겠습니다. 전송하러 나가야죠. 어서 서둘러야겠군……. (퇴장)

아르카지나 – 그럼, 여러분, 잘들 있어요! 다음 여름에 건강하게 또 만나요! (하녀, 야코프, 요리사, 각각 그녀의 손에 키스한다) 날 잊지 말아요. (요리사에게 1루블을 주며) 이 1루블을 셋이서 나눠 가져요.

요리사 – 고맙습니다, 마님. 여행 중에 무사하시길 빕니다. 안녕히 가십시오, 트리고린 씨!

아르카지나 – 콘스탄친은 어디 있지? 그 애에게 말해 줘요, 내가 출발한다고. 작별 인사를 해야지. 그럼 여러분, 너무 서운해 하지 말아요. (야코프에게) 요리사에게 1루블을 줬어, 셋이서 나눠 가져요.

모두 오른쪽으로 퇴장. 무대가 텅 빈다. 무대 뒤에서 작별 인사의 소리. 하녀가 되돌아와 테이블 위에 있는 자두 광주리를 들고 다시 퇴장.

트리고린 – (되돌아온다) 지팡이를 잊었군. 테라스에 놔 두었는데. (가다 말고 왼쪽 문 옆에서 돌아오는 니나와 만난다) 아아, 니나 당신이군! 우린 이제 떠나요.

니 나 – 아직 뵐 수 있을 것 같아 이렇게 왔어요. (흥분해서) 트리고린 씨, 전 결심했어요. 전 여배우가 되겠어요. 내일이면 저도 여기 없을 거예요. 아버지 집을 나와 새로운 생활을 시작하겠어요. 저도 당신과 마찬가지로 모스크바로 떠납니다. 거기서 뵙겠어요.

트리고린 – (힐끗 뒤를 돌아보며) 숙소는 '슬라반스키 바자르'(모스크바의 유명한 호텔)로 하시오. 그리고 도착하는 대로 내게 곧 연락하고……. 물차노브카 그로홀리스키 건물……. 지금은 바빠서 이만…….
(사이)

니 나 - 1분간만, 1분만 더 있어 줘요…….

트리고린 - (낮은 소리로) 당신은 정말 아름다워……. 아아, 당신을 다시 만난다고 생각하니 가슴이 벅차오르는군! (니나, 남자의 가슴에 기댄다) 난 또 볼 수 있는 거야……. 이 매혹적인 눈을, 부드러운 미소를, 이 온화한 얼굴을, 천사처럼 순결한 표정을, 나의 소중한…….
(오랜 키스)

―막―

제3막과 제4막 사이에 2년이 지난다.

제4막

소린 집안의 객실. 지금은 트레플레프가 작업실로 쓰고 있다. 각각 안으로 통하는 좌우의 문. 정면은 테라스로 나가는 유리문. 보통 객실용 가구 외에 오른쪽 구석에 책상, 왼쪽 문 가까이 터키 풍의 소파, 책장. 창문과 의자 위에 여기저기 책이 놓여 있다. 초저녁. 갓을 씌운 램프가 하나 켜져 있을 뿐, 주위는 어둠침침하다. 흔들리는 나뭇잎 소리와 굴뚝 속에서 바람이 윙윙대는 소리. 야경꾼의 딱다기 소리. 메드베젠코와 마샤 등장.

마 샤 - (부른다) 트레플레프 씨! 트레플레프 씨! (둘러보며) 아무도 없잖아. 영감님도 원, 늘 주책없이 '코스차는 어디 갔어', '코스차는 어디 갔어', 하시니. 아마 그이가 없이는 못 사시는 모양이야…….

메드베젠코 - 고독처럼 무서운 게 있을라고. (귀를 기울인다) 참 괴상한 날씨야! 벌써 이틀 밤낮을 이러니…….

마 샤 - (램프 불을 돋운다) 호수에는 물결이 일더군요. 커다란 파도가 말이에요.

메드베젠코 - 정원은 캄캄하군. 정원에 있는 저 소극장은 아무래도 헐라고 해야겠어. 꼭 해골 같거든. 막은 바람에 펄럭이고 있고. 어젯밤 그 옆을 지나는데, 누군가 우는 것 같았어.

마 샤 - 또 그런 소리……. (사이)

메드베젠코 - 어서 집으로 갑시다, 마샤!

마 샤 - (고개를 젓는다) 아니에요, 난 여기서 자겠어요.

메드베젠코 - (애원하듯이) 왜, 왜? 아기가 배가 고플 거야.

마 샤 - 괜찮아요. 마트료나가 먹일 거예요. (사이)

메드베젠코 - 불쌍하지도 않아? 벌써 사흘이나 엄마 얼굴을 못 보았는데.

마 샤 - 당신도 할 수 없군요. 전에는 곧잘 철학을 늘어놓더니만, 이젠 노상 '아기' 아니면 '집에 가자'고 졸라대는군요. 꼭 바보 같아요.

메드베젠코 - 이러지 말고 어서 돌아갑시다, 마샤!

마 샤 - 혼자 가세요.

메드베젠코 - 당신 아버지는 내게 말을 내주지 않아.

마 샤 - 내줄 거예요. 부탁드린다고 하면 빌려 줄 거예요.

메드베젠코 - 그럼 부탁드려 봐야겠군. 내일은 오겠지?

마 샤 - (담배 냄새를 맡으며) 네, 네, 가겠어요. 아, 귀찮아…….

트레플레프와 폴리나 등장. 트레플레프는 베개와 모포, 폴리나는 시트를 들고 와서 터키 풍의 소파 위에 놓는다. 그러고 나서 트레플레프는 자기 책상에 가서 앉는다.

마 샤 - 어쩌시려고요, 엄마?
폴리나 - 소린 씨께서 코스차 옆에 자리를 깔아 달라시는구나.
마 샤 - 제가 할게요……. (잠자리를 마련한다)
폴리나 - (한숨을 쉬며) 나이를 먹으면 어린애가 된다더니……. (책상
으로 다가가서 턱을 괴고 원고를 들여다본다)
메드베젠코 - 그럼 난 가야겠군. 안녕, 마샤. (아내의 손을 잡는다)
안녕히 주무세요, 장모님. (장모 손에 키스하려고 한다)
폴리나 - (짜증이 나는 듯) 됐네, 됐어! 빨리 가기나 하게.
메드베젠코 - 안녕히 주무십시오, 트레플레프 씨.

트레플레프 잠자코 손을 내민다. 메드베젠코 퇴장.

폴리나 - (원고를 바라보며) 코스차, 당신은 정말로 작가가 되었군요.
작가가 되리라곤 상상도 못 했는데. 이렇게 여기저기 잡지사에서 돈
을 보내오다니……. (그의 머리를 쓰다듬는다) 그리고 풍채도 훨씬 좋
아졌고……. 코스차, 우리 마샤에게 좀더 다정히 대해 줄 순 없나요?
마 샤 - (자리를 깔면서) 엄마, 제발 그러지 좀 마세요.
폴리나 - 우리 마샤, 괜찮지 않아요? (사이) 코스차, 여자는 그저 다
정한 눈길로 봐 주기만 하면 되는 거예요. 다른 건 아무것도 필요없
어요. 내가 경험해 봐서 알지만.

트레플레프 책상에서 일어나 아무 말 없이 퇴장한다.

마 샤 - 엄마! 가만 좀 계시라니까요! 나가 버렸잖아요.

폴리나 - 귀여운 우리 마셴카, 가여운 것…….

마 샤 - 엄마, 제발 좀…….

폴리나 - 널 보고 있으면, 이 엄만 가슴이 아프구나. 나도 다 알고 있다.

마 샤 - 그래요, 맞아요. 하지만 다 부질없는 짓이에요. 희망 없는 사랑이란 소설에나 있을 뿐이에요. 다 그만두면 끝인 거예요. 지푸라기라도 잡는 심정으로 안절부절못해서 뭔가를 기다리며 지내는 걸 그만두면 말이에요……. 사랑이 싹터 오르면 잘라 버리면 돼요. 그럼 간단하죠. 그이를 다른 군으로 전근시켜 달라고 했어요. 보지 않으면 괜찮겠지요……. 이런 사랑 따위, 아예 뿌리째 뽑아 버리겠어요.

저쪽에서 우울한 왈츠 소리가 들려온다.

폴리나 - 코스차가 켜는 소리야. 우울한 소리군.

마 샤 - (두서너 번 왈츠를 추며) 엄마, 눈앞에 보이지 않는다는 것이 중요해요. 이사만 가면 모든 걸 깨끗이 잊을 수 있을 거예요.

왼쪽 문으로 메드베젠코가 바퀴 달린 안락의자를 밀며 들어온다.

메드베젠코 - 이제 여섯 식구로군. 그런데 밀가루는 1푸드(약 16킬로그램)에 70코페이카나 하니…….

도 른 - 그래서 쩔쩔매게 되었다, 이거지?

메드베젠코 - 당신은 웃고 계시기만 하면 되죠. 당신은 돈이 남아도는 사람이니까.

도 른 - 돈이 남아돈다고? 개업해서 30년 동안, 밤낮으로 바쁘게 움직여 모은 돈이 겨우 2천 루블일세. 그러는 동안 몸은 엉망이 되었지. 그나마도 지난번 외국 여행 때 다 써 버렸어. 이제 난 또다시 빈털터리라고.

마 샤 - (남편에게) 어머, 아직도 안 가셨어요?

메드베젠코 - (미안한 듯이) 말을 내주지 않으시니, 난들 어쩌겠소?

마 샤 - (울화통이 터지는 듯) 정말 보기 싫어 죽겠어!

바퀴 달린 안락의자는 실내 왼쪽 중앙에서 멎고, 폴리나, 마샤, 도른이 그 곁에 앉는다. 메드베젠코는 풀이 죽어서 한옆으로 물러선다.

도 른 - 객실이 서재로 변했군요. 그 동안 이 집도 많이 변했는데요?

마 샤 – 트레플레프 씨가 이 곳을 좋아하세요. 언제라도 정원에 나가 생각에 잠길 수 있어, 여기가 일하시기에 더 편하시대요.

딱다기 소리

소 린 – 동생은 어딜 갔지?
도 른 – 트리고린을 맞으러 정거장에 나갔어요. 이제 오실 시간이 되었는데……
소 린 – 동생까지 부르다니, 내 병이 그렇게 위독한가, 도른? (잠깐 입을 다물고) 그런데, 병이 위독하다면서 왜 약 한 첩 안 주지? 아무래도 이상해.
도 른 – 도대체 뭘 원하세요? 쥐오줌풀이요? 아니면 소다? 키니네?

소 린 - 저런, 또 시작이야. 이거, 원……. (소파를 턱으로 가리키며) 이게 내 잠자린가?

폴리나 - 네.

소 린 - 번거롭게 해서 미안하군.

도 른 - (노래한다) '달 그림자, 밤하늘을 지나가노니…….'

소 린 - 난, 코스차에게 소설감으로 딱 좋은 모델을 하나 주려고 하지. 제목은 〈욕망의 사나이〉! 불어로 하면, 〈롬므 키 아 불뤼(Lhomme, qui a voulu)〉지. 난 젊었을 때 작가가 되고 싶었어……. 그러나 되지 못했어. 또 시원스럽게 말을 잘하고 싶었지……. 그러나 나의 말솜씨라는 것은 정말 한심했어. (자조적으로) '그런 형편이어서……. 즉 그런 것이어서, 저어 그러니까…….' 맨날 이런 꼴이라, 난 항상 어떻게든 매끄럽게 결론을 지으려고 진땀을 뺐었지. 난 가정도 갖고 싶었어……. 하지만 그것 역시 쉽지가 않았어. 또 나는 항상 도시에서 살고 싶었어……. 하지만 이렇게 시골 구석에 처박혀 살고 있다, 이런 형편이어서…….

도 른 - 사등관이 되고 싶었지……. 그것은 되었다.

소 린 - (웃는다) 그건 바라던 게 아니었지. 어쩌다 보니 그렇게 된 거야.

도 른 - 예순둘이나 돼서, 인생에 대해 불평을 해대는 건 별로 좋아 보이지 않는군요.

소 린 - 이런……. 난 이제라도 한 번 제대로 살고 싶어!

도 른 - 그게 바로 문제예요. 모든 삶은 끝이 있게 마련이죠. 그게 자연의 법칙이에요.

소 린 - 배부른 소리! 당신은 하고 싶은 걸 하면서 잘 살았지. 배가 부르니까 인생에 대해 태연할 수 있는 거라고! 하지만 내 나이가 되어 죽음을 앞에 둬 보게. 당신도 무서워질 거야!

도 른 – 죽음에 대한 두려움은 동물적인 거죠. 본능이라 이겁니다. 그걸 눌러야죠. 의식적으로 죽음을 두려워하는 건 영원한 생명을 믿는 사람들뿐입니다. 자기 죄가 두려워지는 거죠. 하지만 당신은 신앙심도 없고, 죄도 없잖아요? 25년간이나 법무성에 근무하셨던 분이?

소 린 – (웃는다) 28년간이야.

트레플레프 등장해서 소린의 발치에 있는 작은 의자에 앉는다. 마샤는 시종 그에게서 눈을 떼지 못하고 있다.

도 른 – 우리 때문에 트레플레프 군이 일을 할 수가 없겠어요.

트레플레프 – 아니에요, 괜찮습니다.

사이

메드베젠코 – 잠깐 물어보겠습니다만, 외국의 어느 도시가 제일 마음에 드시던가요?

도 른 – 제노바더군요.

트레플레프 – 제노바요? 왜죠?

도 른 – 그곳 거리의 사람들은 멋있었어요. 저녁때 호텔을 나와 보면, 거리는 사람들로 가득하죠. 그 속에 섞여서 어슬렁어슬렁 거닐며 그들과 얘기를 나누고, 그들의 생각에 동감하다 보면 '하나의 영혼'이라는 것이 있을 수 있다고 믿게 되지요. 언젠가 당신 연극에서 니나 양이 읊었던 대사와 같이 말예요. 참, 그런데 니나 양은 지금 어디 있나요? 뭘 하고 지내나요?

트레플레프 – 잘 있을 거예요.

도 른 – 글쎄요, 그리 잘 살고 있는 것 같지는 않던데요, 들리는 바에 의하면.

트레플레프 – 말하자면 길어져요…….

도 른 – 그래도 간단하게 들려줘요. 알고 싶군요. (사이)

트레플레프 – 그 여잔 집을 나와서 트리고린과 살았어요. 그 이야긴 아시죠?

도 른 – 알고 있습니다.

트레플레프 – 아이가 생겼는데, 그만 죽었다나 봐요. 트리고린은 그 여자에게 싫증이 나서 다시 먼젓번 여자에게로 돌아갔죠. 하기야 그 남자는 한 번도 옛날 여자를 버린 적이 없었어요. 우유부단한 성격 때문에 잠깐씩 옆길로 새서 그렇지. 아무튼 제가 알기로는, 니나의 사생활은 완전히 실패였어요.

도 른 – 무대 쪽은 어땠나요?

트레플레프 – 아마, 형편없었던 모양이에요. 모스크바 교외의 가극장에서 첫 무대를 선 이후로는, 내내 지방으로 순회 공연을 다녔지요. 저는 그때까지만 해도 그녀를 잊을 수 없었기에, 그녀가 공연하는 곳이라면 어디든지 따라다니며 지켜보곤 했죠. 하지만 그녀의 연기란……. 연기랄 것도 없었어요. 거칠었죠. 덮어놓고 소리만 꽥꽥 지르거나 지나치게 과장된 표정으로 허우적거릴 뿐이었어요. 가끔 그럴 듯하게 비명도 지르고, 멋지게 죽는 시늉도 해 보였지만 아주 순간적이었어요.

도 른 – 그럼, 아주 재능이 없는 것도 아니었네요.

트레플레프 – 글쎄요, 잘 모르겠어요. 조금은 재능이 있기도 했겠죠. 어쨌든 난 그녀를 찾아갔었지만, 번번이 만나지 못했어요. 그녀의 기분도 이해할 수 있었으므로, 억지로 만나려고 하지는 않았습니다. (사이) 음……. 그 후 집에 돌아와 보니, 그녀에게서 편지가 몇 장 와 있더군요. 현명하고 다정한, 꽤 괜찮은 편지였어요. 별로 한탄하고 있지는 않았지만, 굉장히 불행한 상태라고 느껴질 만큼 히스테릭한 분위기가 감돌고 있었지요. 서명이 '갈매기'라고 되어 있었어요. 푸슈킨의 담시 〈루사르카〉에 나오는 물방앗간 주인이 자기를 큰 까마귀라고 말한 것이 생각나더군요. 어쨌든 그녀는 자신의 편지에서 자기를 항상 '갈매기'라고 말하고 있었어요. 그리고 지금 그녀는 여기, 이곳에 와 있어요.

도 론 – 여기에 와 있다고요?

트레플레프 – 읍내 여관에 있어요. 거기 묵은 지 벌써 닷새쯤 되었어요. 나도 가 보려고 했는데, 아무도 만나지 않는다고 하더군요. 마샤 양이 찾아갔지만 결국 만나지 못했어요. 아무도요. 그리고 메드베젠코 군의 말로는 어제저녁 여기서 2킬로미터 떨어진 들판에서 그녀를 만났다고 하더군요.

메드베젠코 – 네, 그래요. 그녀는 그때, 읍 쪽으로 걸어가고 있어요. 내가 '왜 놀러 오지 않느냐'고 인사하며 물었더니, 곧 들르겠다고 하더군요.

트레플레프 – 아니에요, 그녀는 절대로 오지 않을 겁니다. (사이) 아버지도 계모도 모르는 체하고 있어요. 아니, 오히려 한 발짝도 집에 들어오지 못하게 곳곳에 감시인을 두고 있는 실정이에요. (의사와 함께 책상 쪽으로 걸음을 옮긴다) 의사 선생님, 종이 위에서 철학자가 되긴 쉬워도 현실에선 정말 어렵군요!

소 린 – 참 매력적인 아가씨였는데…….

도 른 – 네?

소 린 – 매력적인 아가씨였다고 말했어. 사등관인 나, 소린 각하까지도 그 애에게 반했으니까.
도 른 – 늙은 오입쟁이 같으니!

샤므라예프의 웃음소리가 들린다.

폴리나 – 이제들 도착하시나 봐요.
트레플레프 – 그렇군. 어머니 목소리가 나는 걸 보니.

아르카지나, 트리고린, 이어 샤므라예프 등장

샤므라예프 – (들어오면서) 우리는 이렇게 자연의 횡포로 늙고 시들어 가는데, 부인은 여전히 젊으시군요! ……. 밝은 색 짧은 상의를 입으신 날씬한 그 자태……. 우아하십니다, 정말!
아르카지나 – 이런, 치켜세우는 건 여전하군요, 샤므라예프!
트리고린 – (소린에게) 안녕하십니까, 소린 씨! 또 어디 아프신 모양이군요? 안됐군요! (마샤를 보고 반가운 듯이) 여어, 마샤 씨!
마 샤 – 절 알아보시겠어요? (그의 손을 잡는다)
트리고린 – 결혼하셨나요?
마 샤 – 네, 몇 년 됐습니다.
트리고린 – 잘 지내셨습니까? (도른과 메드베젠코와 인사를 나눈 후, 주저주저하면서 트레플레프 쪽으로 걸어간다) 아르카지나 씨 말로는 이제 옛날 일을 잊고, 화도 풀어지셨다던데.

트레플레프, 그에게 손을 내민다.

아르카지나 - (아들에게) 글쎄, 트리고린 씨가 너의 새 작품이 실린 잡지를 가져오셨구나!

트레플레프 - (잡지를 받으면서 트리고린에게) 감사합니다, 친절하시게도 이렇게……. (앉는다)

트리고린 - 당신의 숭배자들이 안부 전해 달라더군요. 페테르부르크나 모스크바에서 당신은 흥미의 대상이죠. 덕분에 나는 당신에 대한 질문을 받느라 정신이 없었어요. 당신이 어떤 사람인지, 나이는 몇 살인지, 갈색 머리인지, 금발인지…….

그런데 왠지 모두들 당신이 나이가 많은 줄로 알고 있어요. 당신의 본명을 아는 사람은 하나도 없어요. 언제나 필명으로만 발표하니까. 당신은 마치 '철가면'처럼 신비한 존재가 되어 있죠.

트레플레프 - 여기 오래 머무실 건가요?

트리고린 - 아니, 오래 있진 못해요. 내일 모스크바로 가야 하니까요. 중편물 하나를 빨리 탈고해야 하거든요. 또 어떤 선집에도 뭐든 하나를 써 줘야 하고요. 한마디로 말하면……. 구태의연하죠.

이러는 사이 아르카지나와 폴리나는 방 한가운데에 카드놀이용 탁자를 펼쳐 놓는다. 샤므라예프는 여러 개의 촛불을 켜고, 의자를 고쳐 놓기도 한다. 그는 찬장에서 로트(카드놀이의 일종) 상자를 꺼내온다.

트리고린 - 날씨가 아주 고약하군요, 바람이 굉장해요. 이거 모처럼 왔는데……. 혹시 내일 아침 바람이 잠잠해지면, 호수로 낚시를 가야겠어요. 그리고 나가는 김에……. 기억나십니까? 당신이 연극을 했던 그곳 말이에요. 그곳을 좀 조사해 봐야겠어요. 모티프는 완성되어 있지만, 현장에 대한 자세한 검증이 필요해서 말이죠.

마 샤 – (아버지에게) 아빠, 우리 그이에게 말을 내주세요! 그인 집에 가야 해요.

샤므라예프 – (흉내내며) 말을……. 가야 해요……. (엄한 말투로) 봤지, 방금 정거장에 갔다 온 거? 그렇게 자꾸 부려먹다가는 죽어 버리겠다.

마 샤 – 다른 말도 있잖아요. (아버지가 잠자코 있는 것을 보고 한 손을 내젓는다) 또 싸움거릴 잡았어…….

메드베젠코 – 마샤, 난 걸어가도 돼. 괜찮아…….

폴리나 – (한숨을 쉬고) 걸어서 어떻게? 날씨나 좋아야지……. (카드 놀이 탁자 앞에 앉는다) 자, 여러분…….

메드베젠코 – 6킬로미터밖에 안 되는데요, 뭐. (아내의 손에 키스한다) 안녕히 계십시오, 장모님. (장모는 키스를 받기 위해 마지못해 손을 내민다) 걱정을 끼치고 싶지는 않지만, 아기 때문에……. (일동에게 머리를 숙인다) 여러분, 안녕히들 계십시오……. (미안한 듯이 퇴장)

샤므라예프 – 어떻게든 가겠지. 자네가 장군이나 되나, 말을 타고 가게.

폴리나 – (책상을 두드린다) 자, 여러분, 빨리요. 조금 있으면 저녁 식사를 알리러 올 거예요.

샤므라예프, 마샤, 도른 탁자에 앉는다.

아르카지나 – (트리고린에게) 기나긴 가을밤이 오면 여기서는 로트를 하죠. 무척 오래된 로트죠? 우리가 어렸을 때, 돌아가신 어머니가 함께 놀아 주던 거예요. 저녁 식사 전까지 한 판 해요. (트리고린과 함께 자리에 앉는다) 시시해 보이지만, 하다 보면 그런 대로 재미있어요. (일동에게 3장씩 종이판을 나누어 준다)

트레플레프 – (잡지를 넘기며) 자기 소설은 읽었으면서, 내 것은 페이지도 넘기지 않았군. (잡지를 책상 위에 놓고 왼쪽 문께로 간다. 어머니 곁을 지나며 그녀의 머리에 키스한다)

아르카지나 – 너도 같이 하자꾸나, 코스차.

트레플레프 – 아니에요, 어머니. 하고 싶지 않아요……. 잠깐 산책이나 하겠습니다. (퇴장)

아르카지나 – 판돈은 10코페이카예요. 의사 선생님, 내 물도 좀 대주세요.

도 른 – 알아모시겠습니다, 부인.

마 샤 – 다 거셨어요? 그럼 시작……. 22!

아르카지나 – 여기 있어요.

마 샤 – 3!

도 른 – 4, 에이!

마 샤 – 3, 놓으셨어요? 8, 81! 10!

샤므라예프 – 너무 서두르지 마라.

아르카지나 – 하르코프에서 받은 환영을 생각하면 아직도 머리가 어질어질해져요…….

마 샤 – 34!

무대 뒤에서 우울한 왈츠 소리가 들려온다.

아르카지나 – 대학생들이 무슨 축제일처럼 떠들어 줘서 말이야…….

꽃바구니가 3개, 꽃다발이 2개, 그리고……. (가슴에서 브로치를 떼어 책상 위에 던진다)

샤므라예프 - 이건 정말 대단하군.

마 샤 - 50!

도 른 - 꼭 50이오?

아르카지나 - 내 무대의상은 정말 호화로웠죠. 뭐니뭐니해도 난 의상에서만큼은 절대로 지지 않으니까요.

폴리나 - 코스차가 켜는 거예요. 울적한 소리군요. 가엾게도…….

샤므라예프 - 신문에서 호되게 얻어맞았더군.

마 샤 - 77!

아르카지나 - 그렇게 신경 쓰지 않아도 되는데…….

트리고린 - 그는 운이 좀 나쁜 것 같아요. 아직 가지고 있는 재능이 다 나오지 않았어. 뭔가 좀 이상하고 애매한 게, 잠꼬대 같은 것이, 도무지 인물이 살아 있지가 않단 말야.

마 샤 - 11!

아르카지나 - (소린을 돌아보며) 지루하지 않으세요, 오빠? (사이) ……. 주무시네?

도 른 - 사등관께서 주무십니다!

마 샤 - 7! 90!

트리고린 - 만약에 내가 이런 호반의 저택에 살고 있었다면, 아무것도 쓰지 못했을 겁니다. 쓰고 싶은 마음 대신, 매일 고기만 낚고 있었을 거예요.

마 샤 - 28!

트리고린 - 숭어나 송어를 낚아올리는 기분이란……. 뭐라 말할 수 없을 만큼 멋지죠.

도 른 - 하지만 난 트레플레프 군을 믿어요. 그 사람 글에는 뭔가가 있거든! 무언가……. 그는 이미지를 가지고 사색해서 소설을 쓰지. 그래서 그의 글은 무척 회화적이고 선명해서 아주 강렬한 인상을 남깁니다. 좀 아쉬운 것이 있다면, 문제의식이 없다는 거죠. 때문에 더 이상 발전하지 못하는 거라고요. 하지만 인상만으로는 대단하죠. 부인, 아드님이 작가라 좋으시겠어요?

아르카지나 - 글쎄요, 그게 아직……. 그 애 글을 읽어 본 적이 없어서요. 워낙 바빠서.

마 샤 - 26!

트레플레프 조용히 등장. 자기 책상으로 간다.

샤므라예프 - (트리고린에게) 참, 트리고린 씨, 당신 물건이 아직도 남아 있더군요.

트리고린 - 뭘까?

샤므라예프 - 예전에 트레플레프 씨가 쏘아 죽인 갈매기요. 그걸 박제로 만들어 달라고 하셨어요.

트리고린 - 모르겠는걸? (한동안 생각하면서) 기억이 안 나는데!

마 샤 - 66! 1!

트레플레프 - (문을 열고 귀를 기울인다) 왜 이렇게 캄캄할까! 왜 이렇게 심란한지!

아르카지나 - 코스챠, 문을 닫아라. 바람이 들어오지 않니?

트레플레프 창문을 닫는다

마 샤 - 88!

트리고린 - 네, 다 맞았습니다.

아르카지나 - (신이 나서) 잘 해, 잘 해!

샤므라예프 - 브라보!

아르카지나 - 이이는 언제, 어디서나 운이 좋죠. 그럼, 이제 뭘 좀 먹읍시다. 우리 집의 유명한 선생님이 오늘은 점심도 안 드셨으니까. 저녁을 먹고 다시 하죠. (아들에게) 식당으로 가자.

트레플레프 - 먹고 싶지 않아요, 어머니. 입맛이 없어서.

아르카지나 - 좋을 대로 하렴. (소린을 깨운다) 오빠, 저녁식사 시간이에요! (샤므라예프의 팔을 낀다) 얘기해 줄게요. 하르코프에서 내가 어떤 환영을 받았는지…….

폴리나 탁자 위의 촛불을 끄고, 도른과 같이 의자를 밀고 간다. 모두 왼쪽 문으로 퇴장. 무대에는 책상 앞에 앉은 트레플레프만 남는다.

트레플레프 - (계속해서 쓰려다 말고 이제까지 쓴 것을 훑어본다) 난 입버릇처럼 새 형식, 새 형식 하고 말해 왔지만, 이젠 나도 차차 매너리즘에 빠져드는 것 같아. (읽는다) '담장에 붙어 있는 포스터에서 말하되……. 창백한 얼굴이 검은 머리칼에 둘러싸여……. 말하되, 둘러싸여…….' 흥, 돼먹지 않았어. (지운다) 차라리 주인공이 빗소리에 눈을 뜨는 대목에서 시작하고, 나머지는 전부 잘라 버리는 게 낫겠어. 달밤의 묘사가 지루하고 너무 기교적이야. 트리고린은 수법이 딱 정해져 있으니까 쉬울 수밖에……. 그 작자라면 '방죽 위에 깨진 병 주둥이가 반짝반짝하고, 물방아가 검게 그림자를 던지고 있다' 그것으로 간단하게 미끈한 문장이 나오지. 그런데 난 '떨리는 듯한 달빛'이니 '조용한 별들의 깜빡임'이니, '고요하고 향기로운 공기 속에 사라져 가는 먼 피아노 소리'니……. 이런 건 도대체가 돼먹지 않았어. (사이) 음, 좀 알 것 같군……. 문제는 형식이 아냐. 낡은 것과 새로운 것이라는 형식이 문제가 아니라, 어떤 인간이 쓰느냐 하는 거지. 글은 바로 그 사람의 영혼이니까. 영혼 속에서 바로 흘러나오도록 쓰는 것, 바로 그거야. (누군가 책상에서 제일 가까운 창문을 두드린다) 뭐지? (창으로 내다본다) 아무것도 없는데……. (유리문을 열고 정원을 본다) 누군가 층계를 뛰어 내려갔는데. (부른다) 누구야, 거기 있는 게? (나간다. 그가 빠른 걸음으로 테라스를 걷는 소리가 들린다. 30초쯤 지나서 니나를 데리고 돌아온다) 니나! 니나!

니나는 트레플레프의 가슴에 머리를 대고 낮은 소리로 흐느낀다.

트레플레프 - (감동하여) 니나! 니나! 당신이오? ……. 당신이었군. 당신이 오려고 그랬는지, 난 아침부터 내내 가슴이 두근거려서 견딜 수 없었어. (그녀의 모자와 긴 외투를 벗긴다) 아아, 내 사랑스럽고 소중한 사람이 돌아왔어……. 울지 마오, 우는 건…….
니 나 - 누가 있어요?
트레플레프 - 아무도 없어.
니 나 - 문을 잠가 주세요. 누가 들어오면 안 되니까요.
트레플레프 - 걱정하지 말아요. 아무도 안 와요.
니 나 - 알고 있어요, 어머니가 와 계시죠? 문을 잠가 주세요…….
드레플레프 - (오른쪽 문을 잠그고, 왼쪽 문으로 걸어간다) 여긴 자물쇠가 없는데……. 의자로 막아야겠군. (문 앞에 안락의자를 놓는다) 자, 이제 아무도 안 올 거예요. 걱정 말아요.

니 나 - (트레플레프의 얼굴을 한참 바라본다) 얼굴을 좀 보여 주세요. (주위를 둘러보며) 여긴 따스하고 좋군요. 그 땐 여기가 객실이었죠……. 나……. 많이 변했나요?

트레플레프 - 음……. 좀 여위고 눈이 커졌군. 니나, 이렇게 당신을 보고 있으려니 기분이 이상해지는군. 왜 그렇게 나를 박대했지? 왜 이제야 온 거야? 난 당신이 이 곳에 온 지 벌써 일주일이 다 되어 가는 걸 알고 있었지. 그래서 하루에도 몇 번씩, 당신이 묵고 있는 여관 창가로 가서 서 있었어. 거지처럼 말이야.

니 나 - 전 당신이 얼마나 절 원망하실까 두려웠어요. 매일 같은 꿈을 꾸었어요……. 당신은 절 보고 있으면서도 절 몰라보더군요. 그 기분 아세요? 여기 도착하자마자 전 매일 거기……. 호숫가를 서성였죠. 이 곳에도 몇 번이나 왔지만 차마 들어올 용기가 나지 않았어요. 자, 앉아요. (두 사람 앉는다) 이제 모두 얘기하겠어요. 여긴 따스하고 아늑해서 기분이 좋군요. 저 소리는……. 바람 소린가요? 투르게네프의 글에 이런 게 있죠……. '이런 밤에, 지붕 밑에 있는 자는 행복하다, 따뜻한 한구석을 가진 자는' 난 갈매기……. 아냐, 그게 아냐. (이마를 문지른다) 뭘 말하려고 했지? 참, 투르게네프지……. '주여, 비 오니 모든 집 없는 방랑자를 도와주소서…….' 아녜요, 아무것도 아녜요. (흐느껴 운다)

트레플레프 - 니나, 당신은……. 니나!

니 나 - 아니에요, 괜찮아요. 이제 마음이 후련해요……. 울지 않은 지 2년이나 되었는걸요. 어젯밤 늦게 살며시 이 정원에 와 봤어요. 우리들의 극장이 아직도 있는지……. 아직도 있더군요. 그것을 보자 2년 만에 처음으로 참았던 울음이 터지더군요. 그러자 가슴이 후련해졌어요. 보세요, 이제 전 울지 않아요.

(그의 손을 잡는다) 아아, 당신은 이제 이렇게 작가가 되었군요……. 당신은 작가, 난……. 여배우. 우리 모두 운명의 소용돌이에 말려들고 말았어요. 예전에 나는 아무것도 모르는 어린애 같았죠……. 아침에 눈을 뜨면 노래를 하고, 당신을 사랑하고, 명성을 꿈꾸고……. 그런데 지금은……. 지금은 어떤지 아세요? 당장 내일 아침 일찍 3등차를 타고 엘레츠로 가야 해요. 농부들과 합승으로 말이에요. 그리고 엘레츠에선 교육받은 장사치들이 따라다니며, 추근대거나, 또는 친절하게 굴겠죠. 비참한 거예요, 산다는 것은.

트레플레프 - 엘레츠 같은 곳엔 왜 가지?

니 나 - 올 겨울 동안 계약했어요. 이제, 가 봐야겠어요.

트레플레프 - 니나, 난 당신을 저주하고 증오해. 당신의 편지와 사진, 모두 찢어 버렸어. 그러면서도 내 마음은 영원히 당신과 맺어져 있다는 걸 매 순간마다 느끼고 있어. 당신에 대한 사랑이 식다니, 그건 있을 수 없는 일이야. 니나, 당신을 잃은 뒤, 가끔 내 작품이 잡지에 실리기 시작한 동안, 내게 있어 인생이란 정말 견디기 어려운 것이 되었지……. 나의 젊음은 갑자기 꺾여서, 난 벌써 90살이나 된 것 같아. 난 당신의 이름을 부르고, 당신이 걷던 땅에 입을 맞추지. 어디를 봐도 당신의 얼굴뿐이야. 내 생애의 가장 빛나던 시대를 비춰 준 그 다정한 미소…….

니 나 - (당혹해서) 왜 그런 말을 하세요? 무엇 때문에?

트레플레프 - 난 고독해. 따뜻한 위로와 애정이 필요해. 내 삶은 굴속처럼 춥고 음산해서, 뭘 써도 버석거리고 딱딱하고 우울해. 니나, 부탁이야, 여기 있어 줘. 아니면 나도 함께 가게 해 줘!

니나는 재빨리 모자와 긴 외투를 입는다.

트레플레프 – 어째서 당신은……. 니나! 제발……. (니나가 옷을 입는 걸 바라본다) (사이)

니 나 – 뒷문께에 마차를 세워 두었어요. 나오지 마세요. 나 혼자서 갈 수 있어요……. (울먹이면서) 물 좀 주시겠어요?

트레플레프 – (컵에 담긴 물을 준다) 이제 어디로 갈 거지?

니 나 – 읍내로요. (사이) 아르카지나 부인이 와 계시죠?

트레플레프 – 응……. 이번 목요일, 아저씨의 병세가 악화되어 전보로 오시게 했지.

니 나 – 제가 걷던 땅에다 키스를 하시다니, 왜 그러세요? 저 같은 건 죽인대도 할 말이 없는데. (테이블에다 몸을 기댄다) 정말 지쳤어요! 좀 쉬고 싶어요, 조금만이라도! (얼굴을 들고) 난……. 갈매기. 아니, 난……. 여배우. 그, 그렇죠? (아르카지나와 트리고린의 웃음소리를 듣고 가만히 귀를 기울이다가, 왼쪽 문으로 뛰어가서 열쇠구멍으로 내다본다) 그이도 여기에 와 있군요…….

(트레플레프 곁으로 돌아오면서) 흥, 그래? ……. 상관없어……. 그래요. 그는 연극이라는 것을 믿지 않죠. 언제나 내 꿈을 비웃기만 했어요. 그래서 나도 차차 믿음이 없어지고, 힘이 빠지고 말았어요……. 게다가 사랑의 고민이니, 질투니, 어린애에 대한 공포니 해 가지고 늘 마음을 죄어서……. 이렇게 소심하고 초라한 여자가 되어 버렸어요. 저는 살아갈 힘을 잃고 연기도 아무렇게나 되는 대로 했어요. 손을 어떻게 해야 할지도 모르겠고, 무대에 서 있을 수도 없었어요. 목소리도 나오지 않았고요. 스스로 형편없는 연기를 하고 있다고 느낄 때면……. 당신은 도저히 그 참담한 기분을 모르실 거예요.

난……. 갈매기. 아니, 그렇지 않아……. 기억나세요? 당신은 갈매기를 쏘아 죽였어요. 지나가던 남자가 그 처녀를 보고 심심풀이로 파멸시켜 버렸다……. 제법 그럴 듯한 단편의 소재였지요……. 아니, 이것도 아니야……. (이마를 문지른다) 무슨 이야기를 하고 있었지? ……. 참, 무대에 대한 이야기였지. 이제 나는 그렇지 않아요……. 난 이제 진짜 여배우예요……. 난 즐겁게 연습하고, 무대에 서면 연기에 도취되어 스스로 훌륭하다고 느끼죠. 지금 여기 있는 동안에도 늘 생각해요. 생각하면서 나의 정신은 날로 강해지죠.

생각해 보면, 코스챠, 무대에 서는 일이나 글을 쓰는 거나 같은 일이에요. 글에서건, 무대에서건, 훌륭한 건 내가 꿈꾸어 왔던 명성이나 영광이 아니라, 실은 인내력이라는 걸 알았어요. 이제야 이해가 가는 군요. '자기 십자가를 지는 법을 알고, 다만 믿을지어다…….' 바로 이거예요. 나는 믿고 있으니까 괴로울 것도 없고, 자기 사명을 생각하고 있으니 인생도 두렵지 않아요.

트레플레프 – (슬픈 듯이) 당신은 자신이 가야 할 길을 분명히 알고 있어. 하지만 나는 여전히 망상과 환영의 혼돈 속을 방황하면서, 도대체 그것이 누구에게, 왜 필요한 것인지도 모르고 있어. 신념도 가질 수 없고, 무엇이 사명인지도 모르겠다고!

니 나 – (귀를 기울이며) 쉿……. 가야겠어요. 안녕. 제가 유명한 여배우가 되거든 보러 오세요. 약속해 주시는 거죠? 그럼, 오늘은……. (그의 손을 잡는다) 너무 밤이 깊었어요. 전 지금 가까스로 서 있기 때문에 너무 힘들어요. 지쳐 버렸어. 무얼 좀 먹고 싶어…….

트레플레프 – 천천히 가요, 저녁이라도 먹고…….

니 나 – 아니, 안 돼요. 따라오지 마세요……. 혼자서 갈 수 있어요……. 바로 저기 마차가 있는걸요. 그러니까 아르카지나 씨가 그이를 데리고 오신 거군요? 하지만 어차피 마찬가지야……. 트리고린을 만나더라도 아무 말 마세요. 전 그이를 좋아해요. 전보다 더 사랑하고 있어요. 제법 그럴 듯한 단편 소재죠? ……. 네, 좋아해요, 사랑하고 있어요. 그것도 안타깝게 사랑하고 있어요. 예전에는 참 좋았었죠……. 코스차! 얼마나 밝고 따스하고 기쁘고 깨끗한 생활이었던가요. 아, 정답고 산뜻한 꽃과 같은 감정……. 기억하고 계세요? (암송한다) '인간도, 사자도, 독수리도, 뇌조도, 뿔 달린 사슴도, 거위도, 거미도, 물 속에 사는 말 없는 물고기도, 바다에 사는 불가사리도, 사람 눈에 보이지 않는 미생물도……. 다시 말해서 모든 생물, 생명이라는 생명은 모두 슬픈 순환을 마치고 사라져 버렸도다……. 이미 수천 세기 동안 지구에는 무엇 하나 생물을 싣지 않았으며, 저 가련한 달만이 허무한 등불을 켜고 있도다. 이제 목장엔 잠에서 깬 학의 울음 소리도 그쳤다. 보리수 숲에 딱정벌레마저 찾아오지 않는구나…….' (격정적으로 트레플레프를 껴안고는, 유리 문 밖으로 뛰어나간다)

트레플레프 – (사이) 누가 니나를 보기라도 한다면? 나중에 어머니에게 일러바치기라도 한다면? 어머니는 괴로우실 거야…….

2분 쯤 말없이 있더니, 원고를 전부 찢어 책상 밑에 던진다. 그리고는 오른쪽 문을 열고 퇴장한다.

도 른 – (왼쪽 문을 끙끙대고 밀면서) 이상한데, 문이 잠겼나? (들어와서 안락의자를 제자리에 놓는다) 뭐야, 장애물 경주 같군.

아르카지나, 폴리나, 그 뒤에 야코프가 여러 개의 술병을 들고 마샤, 그 뒤에 샤므라예프, 트리고린이 각각 등장한다.

아르카지나 – 붉은 포도주와 트리고린 씨가 드실 맥주는 이 테이블에 놓아 주세요. 로트를 하면서 마실 거니까. 자, 앉으세요, 여러분!

폴리나 – (야코프에게) 곧 차를 내 와요. (여러 개의 촛불을 켜고 카드 놀이 탁자에 앉는다)

샤므라예프 – (트리고린을 찬장 쪽으로 끌고 간다) 이거예요, 이게 바로 아까 말씀드린 물건입니다……. (찬장에서 갈매기의 박제를 꺼낸다) 당신이 주문하신.

트리고린 – (갈매기를 바라보면서) 기억이 없어! (고개를 갸우뚱하며) 기억이 없는데!

오른쪽 무대 뒤에서 총성. 모두 흠칫한다.

아르카지나 – (겁에 질려서) 무슨 소리지?

도 른 – 아니에요, 아무것도 아닙니다. 아마 내 약 가방 속에서 또 뭔가가 터진 모양이에요. 걱정하지 마세요. (오른쪽 문으로 퇴장했다가 30초쯤 지나서 돌아온다) 네, 그러네요. 에테르 병이 터졌군요. (흥얼거린다) '나 또다시 그대 앞에 넋을 잃고 서노라…….'

아르카지나 – (테이블 앞에 앉으며) 휴우, 깜짝 놀랐어. 예전의 그 일이 생각나서……. (양손으로 얼굴을 가린다) 눈앞이 캄캄했었어…….

도 른 – (잡지를 넘기면서 트리고린에게) 여기, 두어 달쯤 전에 어떤 기사가 실렸는데……. 미국 통신입니다만, 당신에게 좀 물어보고 싶은 게 있어서요……. (트리고린의 허리를 잡고 푸트라이트 쪽으로 데리고 온다)……. 글쎄, 무척 흥미 있는 문제라니까요……. (말소리를 낮추이) 아르가지나 부인을 어디로든 데려가 주시오. 실은 트레플레프 군이 자살을 했습니다.

—막—

귀여운 여인

퇴직 8등관 프레만니코프의 딸, 올렌카(올리가의 애칭)는 정원으로 내려가는 계단에 앉아 골똘히 생각에 잠겨 있었다. 날씨는 무더웠고, 파리들이 들러붙어 짜증이 났으나 곧 저녁이 된다고 생각하니 기분이 한결 좋아졌다. 가끔 습기 찬 바람이 불었고, 검은 비구름이 몰려오고 있었다.

쿠킨은 안뜰에 내려서서 하늘을 올려다보고 있었다. 그는 유원지 '티보리'(로마 부근에 있는 명승지에서 따온 이름)의 경영주였고 소유자였으며, 역시 그 집의 별채에 세들어 살고 있는 남자였다.

"또 오는군, 또 와!"
하고 그가 내뱉듯이 말했다.

"비가 또 오다니! 요즘 들어 하루라도 비가 안 온 적이 없어. 일부러 그런 것처럼 말이야! 이래서야 어디 살겠나! 이러다간 정말 파산하고 말겠어! 매일 매일 쌓인 손해가 얼만지!"

그는 두 손을 치며, 올렌카에게 말을 걸었다.

"올리가 세묘노브나, 이게 바로 우리가 살아간다는 것이랍니다. 이럴 땐 정말 울고 싶죠! 열심히 일하고, 정성을 들이고, 끙끙거리며 생각하느라 밤잠도 설치고, 조금이라도 더 나은 것으로 만들려고 온갖 생각을 짜내지만, 결과는 늘 이렇단 말씀입니다. 저 구경꾼들 좀 보세요. 그들은 교육도 못 받은 야만인들이라고요. 밤잠 설치며 고르고 고른 오페레타나, 몽환극, 가곡의 명가수 등을 내보내지만 그들이 원하는 것은 그게 아니라는 거죠. 그들이 원하는 것은 유랑극단의 신파예요! 그들에게 백날 오페레타 같은 것을 보여줘 봤자, 그 가치를 모른다고요.

게다가 이 날씨 좀 보세요. 멀쩡하다가도 꼭 밤에는 비가 오거든요. 5월 10일부터 내리더니 한 달 이상이나 내내 내리고 있잖습니까? 이런 상황인데도, 나는 토지 사용료를 어김없이 꼬박꼬박 바쳐야 한다 이겁니다. 그뿐입니까? 배우들 급료도 지불해야죠. 정말 죽을 맛입니다.”

다음날도 저녁 무렵이 되자 또 비구름이 몰려 왔다.

그러자 쿠킨은 신경질적으로 웃으면서 하늘을 향해 소리쳤다.

“도대체 어쩌라는 거야? 그래, 마음대로 쏟아져라, 마음대로! 차라리 유원지 따위는 물에 쓸려 가 버리는 편이 낫겠어! 아니, 아니, 차라리 내가 물 속에 빠지는 게 낫겠군! 이 세상의 행복이든, 저 세상의 행복이든 이제 아무 상관없어! 그래, 고소하라고 해! 이래 가지고 급료를 줄 수 있겠어? 차라리 시베리아로 유형을 가는 게 낫겠어! 단두대라도 상관없지! 하하하!”

그 다음날도 마찬가지였다.

쿠킨의 이런 말들을 심각한 표정으로 듣고 있던 올렌카는 때때로 눈물을 흘리기도 했다. 그녀는 점점 쿠킨의 불행에 연민의 정을 느끼더니, 마침내는 그를 사랑하게 되었다.

그는 키가 작고 바짝 말랐으며, 안색은 항상 누랬고, 조금밖에 없는 구레나룻을 정성들여 쓰다듬어 붙였으며, 말소리는 가늘었고, 말할 때는 늘 입이 비뚤어졌다. 그러나 이러한 그의 생김새와 얼굴에 밴 절망의 빛조차도 그녀에게는 깊은 감동을 불러일으켰다.

그녀는 사랑 없이는 한시도 견디지 못하는 여인이었다. 언제나 누군가를 사랑하고 있었다. 아버지를 몹시 좋아했으나, 지금은 아버지도 병이 들어 어두운 방안의 팔걸이 의자에 앉아 숨을 헐떡이며 괴로워하고 있었다. 또 한때는 숙모를 몹시 좋아한 적도 있었으나, 그녀는 2년에 한번 정도밖에는 찾아오지 않았다. 그보다 훨씬 전, 여학교 시절에는 프랑스 어 담당 선생님을 아주 좋아한 적도 있었다.

올렌카는 다정하고 부드러운 눈매를 가진, 온순하며 정이 많은 처녀로 무척 건강했다. 그녀의 토실토실한 장밋빛 뺨이나, 선량하고 귀여운 미소 등을 바라볼 때면, 남자들은 자신들도 덩달아 미소를 지으며 그녀에게 호감을 보였으며, 여자들은 갑자기 그녀의 손을 잡고 같이 기쁨에 넘쳐 이렇게 말하는 것이었다.

"귀여운 아가씨군!"

그녀가 태어나서부터 줄곧 살아왔고, 아버지의 유언장에도 그녀의 이름으로 되어 있는 이 집은 '티보리' 유원지에서 그다지 멀지 않은 곳에 있었다. 때문에 매일 밤 초저녁부터 밤늦게까지 유원지에서의 모든 소리가 들려왔다. 가령, 연주되는 음악 소리며, '펑, 펑' 하는 폭죽 소리 같은 것 말이다. 그리고 그 소리들은 그녀에게 쿠킨이 자신의 운명에 맞서, 저 냉담한 구경꾼을 향해 돌격하는 소리처럼 들렸다.

그 소리들을 들을 때면, 그녀의 마음은 달콤하게 저려 왔고, 졸음이 밀려올 때도 있었다. 새벽녘에 그가 돌아올 때면, 그녀는 자기 침실의 창문을 열고 커튼 사이로 얼굴을 내밀며 정답게 웃어 주었다.

결국 얼마 뒤 그는 그녀에게 청혼하였고, 두 사람은 결혼했다. 그리고 그는 그녀의 목덜미와 토실토실한 어깨를 보고는 손뼉을 치면서 이렇게 중얼거리는 것이었다.

"귀여운 여자로군!"

그는 행복하다고는 느꼈으나, 결혼하는 날엔 낮부터 비가 왔고 밤이 이슥해서도 그치지 않았으므로, 그의 얼굴에서는 절망의 빛이 사라지지 않았다.

결혼 후 두 사람은 오순도순 잘 살았다. 그녀는 남편의 사무실에서 유원지 안을 단속하거나 경리 업무를 보았으며, 배우들의 급료도 주었다. 그녀의 장밋빛 뺨과 사랑스럽고 귀여운, 마치 후광과도 같은 미소는 사무실 창구에서 무대 뒤로, 혹은 가설 극장의 식당과 그 부근까지 번졌다. 그리고 언제부턴가 그녀는 사람들에게 이렇게 소리 높여 말하고 있었다.

"훌륭한 연극만큼 사람들에게 진정한 위안을 주는 것도 없죠. 그뿐인가요? 연극은 사람들을 교양 있고 인정 많은 사람으로 만들어 주죠. 하지만 관객들이 과연 그것을 알 수 있을까요?"

그리고는,

"그들이 원하는 것은 유랑극단의 신파란 말예요! 어제 우리는 〈개작 파우스트〉를 상연했죠. 예상대로 객석은 텅 비었어요. 우리가 뭔가 저속한 것을 상연했다면, 아마도 극장은 발 디딜 틈도 없이 대만원이었을 거예요……."

이렇듯 연극이나 배우에 대한 쿠킨의 의견은 곧바로 그녀 자신의 것이 되었다.

남편과 마찬가지로 그녀 역시, 예술에 대한 안목이 없는 대중을 무식하다며 무시했고, 리허설을 할 때는 배우들의 대사를 고쳐 주기도 했으며, 악사들의 품행에 대해 잔소리를 하는 등 이런저런 참견을 했다. 또 지방 신문에 그들 공연에 대한 혹평이라도 실리면, 눈물을 흘리다가 급기야 신문사로 따지러 가는 것도 그녀의 몫이었다.

배우들은 그녀를 '또 하나의 주인'이라느니 '귀여운 여인'이라느니

하고 부르며 잘 따랐고, 그녀도 그들을 형제처럼 잘 보살펴 주었다. 누군가가 어려운 것 같으면 돈도 꿔 주기도 했는데, 그 돈을 돌려받지 못해도 남몰래 울 뿐 남편에게 하소연하거나 귀찮게 하지 않았다.

그 해 겨울도 두 사람은 즐겁게 지냈다.

시내의 극장을 겨울 내내 빌려서는, 짧은 기간 동안 우크라이나 인 극단이나 마술사, 지방의 아마추어 극단에게 다시 빌려 주었다.

올렌카는 머리끝에서부터 발끝까지 기쁨의 빛으로 빛나고 있었으나, 쿠킨은 점점 마르고 얼굴색이 누렇게 되어 갔다. 그리고는 언제나 적자라고 울상을 지었다. 사실 그 해 겨울에 그들은 사업에 크게 성공했다. 그런데도 그는 여전히 엄청난 손해를 보았다고 투덜거리고 있는 것이다.

올렌카는 밤마다 기침이 심한 쿠킨을 위해 나무딸기나 보리수 꽃의 즙을 짜 주고, 오드 콜로뉴로 문질러 주거나 자기의 숄로 따뜻하게 감싸주었다.

"당신은 정말 좋은 사람이에요!"

올렌카는 쿠킨의 머리칼을 쓰다듬으며 진심 어린 목소리로 말했다.

대재기(부활제에 앞선 7주간)에 쿠킨은 극단원을 모집하려고 모스크바로 떠났다.

이제 남편 없이는 잠을 이룰 수 없는 올렌카는 밤새 창가에 앉아 별을 헤곤 했다. 그럴 때마다 그녀는 자신이 꼭 수탉이 없으면 밤새도록 자지 않고 걱정하는 암탉과 같다는 생각이 들었다.

쿠킨은 일이 늦어져 부활제 무렵에나 돌아오게 될 것이라는 편지를 보내 왔다. 편지에는 티보리 유원지에 관한 몇 가지 부탁도 함께 들어 있었다.

그런데 수난주(부활제에 앞서는 1주일간)의 월요일 밤이었다. 밤늦게 갑자기 불길한 노크 소리가 들려왔다. 마치 물통이라도 두들기듯 쿵쿵 울리는 소리였다. 잠이 덜 깬 하녀가 맨발로 물이 괸 곳을 철벅거리면서 달려나갔다.

"전보예요! 어서 문 좀 열어 주세요."

누군가가 문밖에서 계속 문을 두들기며 소리쳤다.

"밤늦게 죄송합니다. 급한 전보라서요."

남편으로부터 전보를 받는 것이 처음이 아닌데도, 웬일인지 올렌카의 가슴은 심하게 두근거리기 시작했다. 그녀는 부들부들 떨리는 손으로 전보의 봉투를 뜯었다.

'이반 페트로비치 오늘 급서. 곧 오기 바람. 장례식은 화요일.'

그 전보에는 '장례식'이라든가, 더욱이 이해할 수가 없는 '곧'이라는 말이 적혀 있었다. 서명은 오페라 단의 감독 이름으로 되어 있었다.

"오, 나의 쿠킨!"

올렌카는 쓰러질 듯 비틀거리며 울었다.

"그리운 나의 쿠킨! 이제 나는 어떡하나요? 왜 이 불쌍한 올렌카를 버리시는 거예요! 난 이제 누굴 의지해 살아야 하나요? 나는 왜 당신을 만났을까요! 왜 당신을 사랑했을까요! ……."

쿠킨의 장례식은 화요일, 모스크바의 바가니코프 묘지에서 거행되었다.

수요일에 집으로 돌아온 올렌카는 방에 들어서자마자 침대 위에 쓰러져서 엉엉 울었다. 그 울음소리는 거리와 이웃집 마당에까지 들렸다.

"귀여운 여자였는데……. 참 안됐어!"

이웃집 여자들은 이렇게 말하며 성호를 긋는 것이었다.

장례식이 끝나고 석 달이 지난 어느 날이었다. 올렌카는 여전히 상복을 입은 채, 낮 미사를 마치고 쓸쓸히 터벅터벅 집으로 돌아오고 있었다. 그런데 그 날 우연히도 이웃집에 사는 바실리 안드레이치 푸스토바로프라는 남자 역시 교회에서 돌아가는 길이어서 두 사람은 나란히 함께 걷게 되었다.

그는 큰 도매상인 바바카예프의 원목장 관리를 맡고 있는 사람이었는데, 밀짚모자를 쓰고 흰 조끼에는 금줄을 늘어뜨리고 있는 모습이 마치 지주처럼 보였다.

"올리가 세묘노브나, 어떤 것에도 운명이라는 것이 있습니다. 너무 슬퍼하지 마십시오."

그는 의젓하고 그럴싸하게 위로의 말을 건넸다.

"그러니까 누군가가 죽었다 하더라도 그건 모두 하느님의 뜻이므로, 우리는 그것을 받아들이고, 참고 견뎌야 하는 것입니다."

그는 올렌카를 집까지 바래다 주고, 작별 인사를 한 다음 돌아갔다.

그 후로 그녀의 귓가에는 매일 그의 의젓한 목소리가 맴돌았다. 눈을 감고 있으면 그의 새까만 수염이 어른거렸다. 그를 좋아하게 된 것이었다.

뿐만 아니라 그녀 역시 그 남자에게 깊은 인상을 남겨 주었던 것 같다. 왜냐하면 2, 3일 후에 그다지 친하지도 않던 어느 부인이 커피를 마시러 와서는, 내내 올렌카에게 푸스토바로프의 좋은 이야기만 해 대는 것이었다.

"그 사람이 얼마나 건실하고 좋은 사람인지 모르죠? 그렇게 자상하고 성실한 남자라면 어떤 처녀라도 결혼하고 싶어 안달할 것이 틀림없어요. 나에게 딸이 있었으면, 당장 그이한테 시집보냈을 거유."

그로부터 사흘 후, 이번에는 푸스토바로프가 직접 찾아왔다.

그는 아주 잠깐 동안, 한 10분 정도 별 말도 없이 머물렀을 뿐이었는데, 올렌카는 그를 무척 사랑하게 되었다. 그것도 너무나 간절한 사랑의 마음이 불타올라, 그날 밤 올렌카는 뜬눈으로 밤을 지새웠다. 마치 열병에라도 걸린 것처럼 몸과 마음을 불태우던 올렌카는 날이 새기가 바쁘게 그 부인을 불러오게 하여, 일은 빠르게 진행되었다. 두 사람은 곧 약혼 예물을 교환하고, 마침내 결혼식을 올렸다.

푸스토바로프와 올렌카는 즐겁게 살았다.

푸스토바로프는 대개 점심때까지는 원목장에 있었고, 그 이후에는 밖으로 일을 보러 나갔다. 그러면 올렌카는 저녁때까지 그의 사무실에서 계산서를 작성하거나, 상품을 보내며 시간을 보냈다.

"요즘은 목재값이 해마다 2할 정도 뛰어오르고 있어요."

하며, 그녀는 고객이나 아는 사람들에게 말하고 있었다.

"예전엔 이 곳의 목재를 취급하고 있었지만, 요즘엔 해마다 재목을 사러 바시치카가 모기료프 현까지 가야 해요. 그런데 운임이란 것이 엄청나다니까요!"

이렇게 말하고 그녀는 소름이 끼친다는 듯이 두 손으로 볼을 감싸는 것이었다.

그녀는 자기가 아주 오래 전부터 재목상을 해온 듯한 기분이 들었다. 이 세상에서 목재만큼 중요하고 꼭 필요한 것도 없는 것 같았다.

도리목, 통나무, 얇은 판자, 각목, 대목, 배판 같은 말들은 그녀에게 친근하고 다정한 여운을 느끼게 해 주는 말들이었다. 그녀는 밤마다 이 목재들에 얽힌 꿈을 꾸었다. 두껍거나 얇은 판자들이 몇 개의 산더미를 이루거나, 목재를 실은 짐마차들의 끝없는 행렬이 이어지고, 거대한 통나무들이 일어서 하나의 군대를 이루어 깃발을 휘날리며 북소리와 함께 원목장으로 쳐들어오거나, 도리목과 배판이 싸움을 벌여 쨍쨍한 소리를 울리며 쌓이는 꿈들이었다. 이런 꿈을 꾸다가 올렌카는 비명을 지르며

깰 때도 있었는데, 그럴 때면 옆에 누워 자던 푸스토바로프가 토닥거려 주곤 했다.

"올렌카, 왜 그래, 응? 악몽을 꾸었소?"

남편 푸스토바로프가 생각하는 것, 느끼는 것은 바로 그녀의 생각이 되었고, 느낌이 되었다. 그가 이 방은 너무 덥다든가, 요즘은 경기가 어렵다든가 하면 그녀도 그 방이 더운 것 같았고, 경기가 최악인 것처럼 여겨졌다. 남편이 구경하러 다니기보다는 집에서 쉬는 것을 더 좋아했으므로 그녀도 집에서 쉬는 것이 최고인 것 같았다.

"아주머니는 항상 집 아니면 사무실이로군요!"

"귀여운 아주머니, 가끔씩 극장에도 가고 그러세요."

하고 이웃 사람들이 말이라도 할라치면,

"우린 구경갈 틈도 없이 바빠요."

하고 그녀는 정말 바쁜 듯이 대답하는 것이었다.

"우리같이 하루 벌어 하루 먹고 사는 사람에게 그럴 여유가 어디 있겠어요? 그리고 연극이 뭐 그리 대단한 것인가요?"

토요일이 되면 푸스토바로프와 올렌카는 반드시 밤 미사에 참석했으며, 제일에는 아침 미사에 나갔다. 그리고 미사가 끝나면 언제나 사이좋게 어깨를 나란히 하고 감동어린 표정으로, 사각사각 하는 그녀의 비단옷 스치는 소리를 들으며 돌아오는 것이었다.

집에 돌아오면 그들은 차를 마시고, 여러 가지 잼을 바른 맛있는 빵과 고기 만두를 먹었다. 매일 점심때면, 야채 수프 끓이는 냄새나 양고기와 오리고기를 굽는 냄새가 정원은 물론 거리에까지 풍겨 나왔다. 육식을 금하는 제일에는 생선 요리 냄새가 그 집 문 앞을 지나는 사람들의 식욕을 자극했다. 고객은 맛있는 둥근 빵과 따끈한 차를 대접받았다. 일주일에 한 번은 두 사람이 같이 목욕탕에 갔으며, 돌아오는 길에는 두 사람 다 얼굴이 빨갛게 상기되어 있었다.

"네, 덕분에 행복하게 잘 살고 있어요."

하고 올렌카는 아는 사람을 만날 때마다 이렇게 말했다.

"고마운 일이에요. 정말 여러분한테도 우리처럼 살라고 권해 드리고 싶어요."

어느 날 푸스토바로프가 모기료프 현으로 목재를 사러 떠났다. 그녀는 너무 외로워 잠도 잘 수 없었고, 내내 눈물만 흘렸다. 그녀의 집 별채를 세들어 살고 있는 젊은 수의사가 저녁이면 가끔 그녀에게 놀러 왔다. 그는 남편을 그리며 쓸쓸해 하는 올렌카에게 여러 가지 이야기를 들려주거나 트럼프 놀이의 상대가 되어 주었다. 그럴 때면 그녀의 기분도 한결 좋아지곤 했다.

그의 이야기 중에서도 올렌카가 가장 관심 있게 듣는 것은 그의 가정생활이었다. 그는 결혼하여 아이까지 두었으나, 아내가 바람을 피워 이혼을 했다는 것이었다. 그리고 그는 아내를 미워하면서도 매월 아들의 양육비로 40루블을 보내 주고 있다고 했다. 그의 불행한 결혼 이야기에 올렌카는 한숨을 쉬면서, 그를 마음 깊이 동정했다.

"그럼, 안녕히 주무세요."

그녀는 안된 마음에 촛불을 들고 계단까지 따라 나오며 그에게 인사했다.

"고마워요. 덕분에 기분이 한결 좋아졌어요. 그럼, 안녕히 주무세요……."

올렌카는 그녀의 남편이 한 것처럼, 의젓하고 예의바르게 말하는 것이었디.

수의사의 모습은 벌써 사라졌는데도 그녀는 다시 한 번 그에게 이런 말을 해 주었다.

"블라디미르 프라토느이치, 부인하고 화해하세요. 아드님을 위해서라도요. 부디 용서해 드리세요!"

얼마 뒤 푸스토바로프가 돌아왔다. 그녀는 남편에게 별채에 사는 수의사와, 그의 불행한 가정 생활에 관한 이야기를 들려주었다. 두 사람은 함께 한숨을 짓거나 고개를 저으면서 기도했다.

"그의 아들은 아마 아버지를 그리워하고 있을 거야."

"그럼요, 아들이 너무 안됐어요. 그리고 그 수의사도요."

그리고는 두 사람은 성상 앞에 무릎을 꿇고, 땅에 이마를 대며 기도를 드렸다.

"하느님, 제발 우리들에게도 아기를 주십시오."

이처럼 푸스토바로프 부부는 서로 사랑하면서 원앙새처럼 정답게 6년의 세월을 보냈다.

그러던 어느 겨울날, 푸스토바로프는 모자도 쓰지 않은 채 목재를 내주려고 밖에 나갔다가 감기가 걸렸다. 감기는 좀처럼 낫지 않았고, 급기야 그는 자리에 눕게 되었다. 이름난 의사들의 치료를 받았으나, 푸스토바로프는 일어나지 못하고 끝내 넉 달 동안 앓다가 죽어 버렸다. 올렌카는 또다시 과부가 되었다.

"이렇게 가시면, 난 도대체 누구를 의지하고 살라는 거예요, 여보!"

남편을 매장하고 나서 그녀는 흐느껴 울었다.

"이제 저는 앞으로 어떻게 살아가면 좋아요? 이 가엾고 불행한 나는 어떻게 해야 하나요? 여러분, 절 불쌍히 여겨 주세요. 아무 인척도 없는 이 여자를 말예요……."

올렌카는 내내 검은 옷에 상장을 달고 지냈다. 가끔 교회나 남편의 묘지에 참배하러 가는 것 외에는 외출하는 것도 꺼려, 마치 수녀처럼 집에만 틀어박혀 지냈다.

6개월이 지나자 그녀는 상장을 떼고 창문도 열어 놓았다.

가끔은 아침 나절에 식료품을 사려고 하녀를 데리고 나가는 모습이 보이기도 했으나, 그녀가 어떤 생활을 하는지, 집안 형편이 어떤지 추측 외에는 알 길이 없었다. 그리고 그 추측이라는 것도, 그녀가 정원에서 수의사와 차를 마시거나, 그가 신문을 읽어 주는 걸 누군가 봤다거나, 그녀가 우체국에 들렀을 때, 아는 사람을 만나 한 얘기가 다였다.

"우리 동네는 수의사에게 가축 검사를 제대로 받지 않아 온갖 병이 생기는 거예요. 사람들은 항상 우유를 마시고 병이 생겼다든가, 말이나 소에서 병이 감염되었다고들 하잖아요? 정말 사람의 건강 못지않게 가축의 건강에도 세심한 주의가 필요하답니다."

그녀가 말하는 것들은 바로 그 수의사의 생각이었다. 이제 올렌카의 모든 말과 느낌은 수의사와 꼭 같았다.

이제 그녀는 자신이 누군가에게 열중하지 않고는 잠시도 살 수 없다는 것을 분명히 알았으며, 새로운 열중의 대상은 자기 집 별채에 사는 수의사였다. 이런 일은 다른 여자였다면 분명 세상의 비난을 받고도 남을 일이었지만, 올렌카에 있어서는 어느 누구도 나쁘게 생각하지 않았고, 별 거부감 없이 당연하게 받아들였다.

둘은 그들 사이에 일어난 변화에 대해 비밀에 부쳐 두었지만, 이것은 그들이 원하는 대로 되지 않았다. 그것은 올렌카가 비밀이라는 것과는 도무지 어울리지 않는 여자였기 때문이다.

수의사의 친구가 놀러 오기라도 하면, 그녀는 차나 저녁을 대접하면서 소나 양이 페스트나, 결핵, 그 마을의 도살장 등에 관한 이야기를 거침없이 늘어놓았다. 그러면 당황한 수의사는 손님이 돌아가자마자, 화가 나서 큰 소리로 그녀에게 말하곤 했다.

"잘 알지 못하는 얘기는 하지 말라고 내가 그토록 부탁했잖소! 수의 사들끼리 얘기할 때는 제발 쓸데없이 끼어들지 말란 말이오!"

그러면 그녀는 놀라 두려움에 떨며 말했다.

"보로지치카(블라디미르의 애칭), 그럼 나는 뭘 얘기해야 하죠?"

그리고는 눈물을 글썽이며 이렇게 말하는 것이었다.

"제발, 그렇게 화내지 말아요. 제발……."

그러면 수의사는 올렌카를 꼬옥 껴안아 주었다.

이렇게 하여 두 사람은 행복했다.

그러나 이러한 행복도 그리 길지는 않았다. 수의사가 연대를 따라 시베리아 가까운 어딘가로 멀리 떠나 버렸기 때문이다.

그래서 올렌카는 또다시 홀로 남게 되었다. 그녀는 이제 정말 혼자가 되었다.

올렌카는 점점 여위고 얼굴도 많이 상했다. 거리에서 만나는 사람들도 이제는 예전처럼 그녀에게 관심을 보이거나 웃어 주지 않았다. 올렌카의 꽃피는 시절도 다 지난 옛일이 되어 버렸다. 이제는 뭐가 뭔지 모르는 두루뭉술한 생활, 별로 생각하고 싶지 않은 생활이 시작되려는 것이었다.

올렌카는 매일 저녁, 정원으로 내려가는 계단에 앉아 '티보리'에서 흘러나오는 음악과 불꽃 터지는 소리를 들었다. 그녀는 멍한 눈길로 텅 빈 자기 집 정원을 바라보면서 그저 멍청히 앉아 있다가, 밤이 깊어지면 침실로 들어가 꿈을 꾸었다. 텅 빈 정원이 나오는 꿈을. 그녀는 마지못해 먹고 마시는 듯했다.

그리고 무엇보다 견디기 힘든 것은, 그녀에게는 이제 의견이라는 것이 전혀 없다는 것이었다. 그녀는 분명 주위에 있는 사물들을 보고, 일어나는 일들도 이해하고 있었지만, 그 어떤 일에도 자기의 의견을 말할 수가 없었다. 무슨 이야기를 어떻게 해야 좋을지 도무지 감을 잡을 수가 없었다.

아무런 의견도 말할 수 없다는 것은 무서운 일이었다. 병이 하나 서 있거나, 비가 오거나, 또는 농부가 짐마차를 타고 가는 것을 보아도, 아무런 의미나 느낌을 가질 수 없는 것이었다. 천 루블을 준다고 해도 아무 대답을 할 수가 없는 것이었다. 참으로 비참한 일이었다.

쿠킨이나 푸스토바로프, 그 후 수의사와 함께 지냈을 때도 올렌카가 설명할 수 없는 것은 하나도 없었다. 어떤 문제가 나와도 별 어려움 없이 자기 의견을 말했던 것이다. 그런데 그들이 없는 지금에 와서는 자기 집의 정원처럼 그녀 안에 하나의 텅 빈 공간이 생겼다. 의견을 말할 수 없다는 것은 마치 쓰디쓴 쑥을 생으로 잘근잘근 씹고 난 뒤와 같은 기분을 안겨 주었다.

거리는 차츰 사방으로 뻗어, 집시 마을의 거리에도 이름이 주어졌다. '티보리' 유원지와 목재 하치장이 있던 부근에는 주택이 늘어서서 줄줄이 골목이 이어져 있었다.

세월은 빨리도 흘렀다. 올렌카의 집도 낡아 지붕은 녹슬고 헛간은 기울어졌으며, 정원은 키 큰 잡초와 가시 돋친 쐐기풀만이 무성했다.

올렌카도 늙어서 볼품이 없어졌다. 여름철이 되면 그녀는 변함없이 텅 빈 가슴으로 그 계단에 앉아서 쓸쓸한 기분에 젖어 있었다. 겨울에는 창가에 앉아 멍청하게 눈을 바라보며 지냈으며, 봄바람이 불어오거나, 바람결에 교회의 종소리가 들려오기라도 하면 와락 밀려드는 추억에 가슴이 저려와 하염없이 눈물을 흘리곤 했다.

그러나 그러한 것도 잠시, 가슴속은 다시 텅 비게 되고, 자신이 왜 살고 있는지 도무지 알 수 없게 되어 버리는 것이었다. 검은 고양이 브루이스카가 목구멍에서 골골 소리를 내며 재롱을 부리고 있었지만, 올렌카는 고양이의 재롱 따위에는 전혀 관심도 없었다.

그녀가 원하는 것은 그런 것이 아니었다. 그녀는 자기의 몸과 마음을 송두리째 뒤흔들어 놓는 그런 사랑이 필요했다. 자기에게 사상을, 생활의 방향을, 의견을 가질 수 있게 해 주는 그런 사랑이 필요했다. 자기의 노쇠해 가는 피를 따스하게 만들어 주는 그런 사랑이 필요했던 것이다.

그래서 그녀는 옷자락에 매달린 고양이를 뿌리치며 화난 듯이 이렇게 소리치는 것이었다.

"저쪽으로 가, 저쪽으로. 여기엔 아무것도 없단 말이야!"

이렇게 날이 가고 해가 가도 그녀에게는 아무런 기쁨도 의견도 없었다. 하녀 마브라가 말하는 것이라면 그저 무엇이든 좋다는 식이었다.

그러던 7월의 어느 무더운 날, 해질 무렵이었다.

시의 가축 떼가 거리로 몰려가, 올렌카의 집 정원 가득히 먼지가 날렸다. 그 때 대문 두드리는 소리가 들렸다. 올렌카는 문을 열어 주러 나가다가 얼핏 밖을 보고는 깜짝 놀라 서 있었다. 대문을 두드린 사람은 수의사 스미르닌이었다. 그는 머리칼이 희끗희끗했으며, 옷차림은 평복이었다.

올렌카는 한꺼번에 모든 것이 복받쳐 올라왔다. 그녀는 아무 말도 못하고, 사나이의 가슴에 얼굴을 파묻고 울음을 터뜨렸다. 너무 흥분하여, 집 안으로 어떻게 들어왔는지도 모를 지경이었다.

"정말 오랜만이군요!"

그녀는 기쁨으로 온몸을 떨며 중얼거렸다.

"블라디미르 프라토느이치! 여긴 어떻게 오신 거예요?"

"아주 정착하려고 왔습니다."

그는 약간 단호한 어조로 말했다.

"군대 생활을 접고 이렇게 돌아온 것은, 이제 자유의 몸이 된 제 운을 시험해 보고 싶기도 하고, 또 나이를 먹어서 그런지 한군데 뿌리박고 살고 싶기도 해서요. 게다가 아들놈도 이제 중학교에 보낼 나이가 되었어요. 많이 컸지요. 실은 아내와도 화해를 했어요."

"그럼, 부인은 지금 어디 계신가요?"

올렌카가 물었다.

"아들과 함께 여관에 있어요. 전 이렇게 집을 보러 다니고 있고요."

"어머, 그러시다면 우리 집으로 오세요! 이래봬도 다 같이 살 수 있을 거예요. 그게 좋겠군요. 집세 같은 건 한 푼도 받지 않을게요."

흥분한 올렌카는 또다시 눈물을 흘렸다.

"블라디미르 프라토느이치, 부디 가족과 함께 여기서 살아 줘요. 나는 저쪽 별채에서 살아도 좋아요. 아아, 다시 만나게 돼서 정말 기뻐요! 잘 됐어요. 정말!"

다음 날 올렌카는 안채의 지붕과 벽에 칠을 새로 했다. 올렌카는 두 손을 허리에 짚고 정원을 왔다갔다하면서, 활기찬 모습으로 이것저것을 지시하고 있었다. 그녀의 얼굴에는 다시 옛날의 미소가 빛나기 시작했고, 긴 잠에서 깨어난 사람처럼 생생하게 활기를 띠었다.

수의사의 아내도 왔다. 그녀는 바짝 마르고 못생긴데다, 대가 세어 보이는 여자였다. 함께 따라온 사샤라는 어린애는 열 살 나이에 비해서 몸집은 작았으나, 비교적 토실토실했으며, 아름다운 파란 눈동자와 보조개를 가지고 있었다. 소년은 정원으로 들어가자마자 곧 고양이를 뒤쫓았고, 집 안은 금방 소년의 쾌활하고 즐거운 목소리로 가득 찼다.

"이 고양이, 아줌마네 거예요?"

하고 소년이 올렌카에게 물었다.

"아줌마, 새끼 낳으면 우리 집에도 한 마리 주세요, 네? 엄마는 쥐를 굉장히 싫어하거든요."

올렌카는 소년과 이야기를 하거나 차를 마시면서, 그녀의 심장이 금세 따뜻해지고 달콤해지는 것을 느꼈다. 마치 이 소년이 자기의 아들 같았다. 그가 식당에 앉아서 복습을 하자, 그녀는 감동 어린 표정으로 뚫어지게 소년을 바라보다가 이렇게 속삭이는 것이었다.

"정말 귀엽고 잘생긴 아이로구나! 똑똑하기도 하지. 아이고, 이 흰 살결 좀 봐!"

"섬이라는 것은,"

하고 소년은 커다란 소리로 읽었다.

"뭍의 사면이 바다로 둘러싸여 있는 것을 말한다."

"섬이라는 것은 뭍의 일부로서……."

하고 뒤따라 말하다 말고 그녀는 깜짝 놀랐다. 이 말이야말로 그녀가 오랜 세월 침묵과 공허를 깨고 말한 최초의 의견이었기 때문이다.

그녀는 이제 자기의 의견이라는 것이 생겼으므로 저녁때 사샤의 부모를 상대로 의견을 말할 수 있었다.

"요즘 중학 공부가 상당히 어려워졌지만, 역시 그래도 실과 교육보다는 고전 교육이 훌륭하죠. 왜냐하면 중학교를 나오면 어느 방면에도 길이 트여, 자기 희망에 따라 의사도 될 수 있고, 기사도 될 수 있기 때문이에요"

하고 그녀는 이야기를 늘어놓을 수 있게 된 것이었다.

사샤는 중학교에 다니게 되었다. 그의 어머니는 하르코프에 있는 언니에게로 간 뒤 돌아오지 않았고, 그의 아버지는 매일같이 어딘가로 가축 검역을 하러 떠나 며칠씩 집을 비웠다. 올렌카는 사샤가 부모로부터 버림받은 것같이 느껴졌다. 마치 집 안에서 쓸데없는 인간으로 취급받아 굶어 죽어 가는 것 같았다. 그래서 그녀는 자기가 사는 별채로 소년을 데리고 왔다. 그리고 소년을 위해 조그만 방도 하나 마련해 주었다.

사샤가, 그녀가 사는 별채에 살게 된 지도 그럭저럭 반 년이 지났다. 매일 아침 올렌카가 소년을 깨우러 방에 들어가면, 그는 한쪽 팔을 베고 숨소리 하나 내지 않고 깊이 잠들어 있었다. 그녀는 사샤를 깨우는 것이 가엾다는 생각이 들었다.

"사센카."

하고 그녀는 그 애가 오히려 깰까 봐 두려운 듯이 나지막이 불렀다.

"일어나야지. 학교 갈 시간이야."

그러면 사샤는 일어나서 옷을 입고, 하느님께 기도한 뒤 차를 마시려고 자리에 앉는다. 그는 차를 석 잔 마시고, 커다란 비스킷 두 개와 버터 바른 프랑스 빵 반 조각을 먹는다.

하지만 그는 아직도 잠이 덜 깨어 기분이 좋지 않았다.

"사센카, 동화시는 완전히 외웠니?"

하고는, 그를 먼 여행이라도 보내는 듯한 눈길로 가만히 바라보았다.

"말썽꾸러기로구나. 오늘도 학교 가서 공부 잘하고, 선생님 말씀도 잘 들어야 한다."

"알았어요, 알았어! 에이, 귀찮아. 날 좀 가만히 내버려 둬요, 제발!"

하며 사샤는 짜증스럽게 내뱉는다.

그리고는 거리로 나선다. 그는 꼬마인데도 커다란 제모를 쓰고, 책가방을 둘러메고 있다. 그 뒤를 올렌카가 소리 없이 따라간다.

"잠깐만! 사센카!"

하고 그녀는 소년을 불러세운다.

소년이 마지못해 뒤돌아보면, 그녀는 소년의 손에 대추가 든 캐러멜을 쥐어 준다. 학교가 있는 골목길로 접어들면, 소년은 뚱보 아줌마가 자기 뒤를 따라오는 것이 부끄러워 홱 돌아서며 이렇게 말한다.

"아줌마는 이제 집으로 가요, 혼자 갈 수 있으니까요!"

그러면 그녀는 걸음을 멈추고 눈도 깜빡이지 않고, 소년의 뒷모습이 사라질 때까지 바라보고 있었다.

그녀가 기억하기로 사샤에 대한 애정보다 더한 애착은 없었다. 날이 갈수록 모성애가 불타오르는 지금만큼 그 어떤 분별이나, 욕심, 이해를 떠나 자기의 영혼까지도 바치고 싶었던 적은 없었다.

피 한 방울 섞이지 않은 생판 남인 이 소년을 위해서라면 그녀는 자신의 목숨도 아깝지 않았다. 아니, 오히려 기쁨에 넘쳐 감동의 눈물을 흘리면서 목숨을 바쳤을 것이다. 거기에 무슨 이유 같은 것은 없었다. 그냥 그러고 싶었다.

사샤를 학교까지 바래다 준 그녀는 만족스럽고 흐뭇한 기분으로 천천히 집을 향해 걷고 있었다. 그녀는 다시 젊어졌고, 예전의 후광 같은 미소가 되살아 나고 있었다. 거리에서 만나는 사람들도 다시 그녀에게 관심을 가져 주었으며, 흐뭇한 표정으로 말을 건네 왔다.

"안녕하세요, 올리가 세묘노브나 아주머니! 기분이 좋으신가 봐요?"

그러면 그녀는 가볍게 인사를 나누고는, 곧 사샤의 이야기를 늘어놓기 시작했다.

"요즘엔 중학교 공부도 상당히 어려워졌어요. 정말 보통 일이 아녜요. 어제만 해도 1학년 학생에게 동화시 암기와 라틴 어 번역, 그리고 또 뭐더라……? 하여튼 한 가지 다른 숙제를 더 내줬어요. 너무 많지 않나요?"

그녀는 계속해서 사샤로부터 들은 이야기들은 하나도 빼놓지 않고 늘어놓았다. 선생님들, 수업, 교과서 등에 관해.

그들은 2시에 함께 점심 식사를 하고, 밤에는 함께 예습을 하면서 웃거나 했다. 밤이 깊어지면 그녀는 사샤를 침대에 뉘어 주며 성호를 긋거나, 나지막이 기도문을 외웠다. 그것을 마치면 자기도 침대에 들어가면 장래에 관한 일, 그러니까 사샤가 대학을 나와 의사나 기사가 되어, 셋집이 아닌 자기의 커다란 저택에서 자가용 말과 멋진 마차를 갖추고 신부를 맞이하고 아기를 낳는 공상을 했다. 자면서도 그녀는 같은 것만을 생각했다. 감은 눈에서 눈물이 흘러나와 볼을 적셨다. 검은 고양이가 그녀에게 안겨 자면서 자꾸 목구멍으로 소리를 내고 있었다.

"골골골……"

그런데 갑자기 대문을 쾅쾅 두들기는 소리가 났다.

올렌카는 벌떡 일어나 무서움에 벌벌 떨었다. 심장이 터질 듯했다.

30초쯤 후에 또다시 문을 두들기는 소리가 났다.

'하르코프에서 전보가 온 모양이군.'

하고 그녀는 온몸을 사시나무 떨듯 하면서 생각했다.

'저 아이의 어머니가 사샤를 하르코프로 불러들이려고 하는 거야. 아아, 어쩌면 좋아.'

올렌카는 미쳐 버릴 것만 같았다. 머리도 손발도 온통 싸늘해졌다. 자기만큼 불행한 사람도 없을 것 같았다. 하지만 가만히 있었다. 하르코프에서 온 전보를 받으라고 할까 봐, 차마 문을 열 수가 없었다. 그 후 1분쯤 지나자, 말소리가 들려왔다. 수의사가 클럽에서 돌아온 것이다.

'아아, 다행이다!'

그녀는 갑자기 맥이 풀려 버렸다.

심장의 고동도 가라앉고, 다시 편안한 기분이 되었다. 그녀는 누워서 사샤에 대해 생각을 계속했다. 사샤는 옆방에서 쿨쿨 자면서 이따금 잠꼬대를 했다.

"어디 두고 보자! 저리 안 갈 테야? 그만두지 못하겠어?"

굴

나는 지금도 그 때의 일을 선명하게 기억하고 있다.

가랑비가 올 듯한 어느 가을 저녁이었다.

번화한 모스크바의 어느 큰길가에 아버지와 함께 서 있던 나는 왠지 점점 기분이 나빠졌다. 어디가 특별히 아픈 것도 아닌데, 이상하게 힘이 빠지면서 다리가 휘청대고, 자꾸만 고개가 옆으로 맥없이 기울어졌다. 말을 하고 싶어도 말은 목구멍을 뚫고 나올 힘도 없는 듯했다. 정말이지 이대로 가다간 당장이라도 쓰러질 것만 같았다.

만약 내가 쓰러져서 병원에라도 실려 간다면, 아마도 의사 선생님은 분명히 나의 병원 카드에 이렇게 써 넣을 것이다. '병명: 굶주림.' 아, 이런 병명은 의사 선생님의 교과서에 없던가.

아무튼 아버지와 나는 여전히 큰길가에 그렇게 서 있었다.

아버지는 허름한 여름 외투를 걸치고, 누르스름한 털이 비어져 나온 털모자를 쓰고 있다. 발에는 신으나마나한 낡아빠진 덧신을 신고서. 허세 부리는 아버지 성격에, 맨발에 직접 덧신을 신은 걸 남에게 들킬까 봐 낡은 가죽 각반을 정강이 위에까지 죽 잡아당겼다.

나는 아버지의 그 멋있었던 여름 외투가 점점 누더기가 되어 갈수록 더욱 아버지가 좋아진다. 가엾은 나의 아버지는 서기 자리를 구하려고, 다섯 달 전에 이 곳 모스크바로 왔다. 그 때부터 꼭 5개월 동안, 아버지

는 시내를 돌아다니며 일자리를 부탁하고 다녔다. 그것도 여의치 않자, 급기야 오늘 이렇게 행길에 서서 사람들에게 구걸하기로 결심한 것이다.

우리 두 사람이 서 있는 바로 건너편으로 3층짜리 건물이 하나 보인다. 푸른 색 간판에 '식당'이라고 씌어 있다. 나는 좋건 싫건 간에 그 휘황한 불빛이 내비치는 음식점의 창문을 올려다보지 않을 수 없다. 나의 고개는 이미 힘없이 뒤로 젖혀져 있으니까. 그 곳 창문으로 여러 사람이 어른거리는 모습이 보인다. 오르간의 한쪽 귀퉁이도 보이고, 두 장의 그림과 천장에 매달린 샹들리에도 보인다.

여러 창문 가운데 하나를 물끄러미 쳐다보고 있자니 뭔가 흰색 반점이 눈에 들어왔다. 그 반점은 꼼짝도 하지 않는다. 짙은 갈색을 배경으로 그 흰색 반점은 점점 네모진 윤곽을 드러 내고 있다. 나는 눈길을 모아서 지그시 쳐다보았다. 아, 그것은 벽에 붙은 흰 종이다. 종이 위에 뭔가가 써 있지만, 잘 보이지는 않는다.

나는 약 반 시간 가량 그 종이와 눈싸움을 한다. 그 흰색 반점은 내 눈을 빨아들이고, 나는 최면에 걸린 것처럼 몽롱해진다. 아무리 기를 쓰고 읽으려 해도 잘 모르겠다.

아까부터 점점 내게 압박을 가해 오던 정체 모를 병이 이제 마구 설쳐 댄다.

'아, 천둥 소리인가……? 아니, 마차 소리구나…….'

길거리를 에워싼 수많은 냄새들 속에서 나는 그것들 모두를 정확히 구별해 낸다. 음식점의 샹들리에에 불빛과 가로등의 불빛은 하도 눈이 부셔, 마치 번갯불 같다. 나익 오감이 활동하기 시작한다. 그것은 평소보다 열 배 천배의 능력을 갖고 있는 것 같다. 그러자 그 때까지 보이지 않던 흰색 반점 위의 뭔가가 보이기 시작한다.

"굴······."

나는 종이 위의 글씨를 마침내 읽는다.

이상한 말이다! 내가 만 8년 3개월을 살아 오는 동안 한 번도 들어 본 적이 없는 말이다.

'무슨 뜻이지? 음식점 주인의 이름인가? 아냐, 아냐. 문패를 집 안 벽에 붙이나?'

"아빠, 굴이 뭐야?"

나는 뒤로 젖혀진 고개를 애써 아버지 쪽으로 돌리며, 힘 빠진 목소리로 묻는다.

그러나 아버지에게는 들리지 않는다. 아버지는 물끄러미, 바쁘게 오가는 사람들을 하나하나 눈으로 쫓고 있다······. 아버지는 말을 건넬 만한 사람을 지금 사냥하고 있는 중이다. 자신의 모든 주의를 집중해서. 그러나 아버지의 입에서는 그 무겁디 무거운 '적선해 주십시오'라는 괴로운 말이 아무래도 튀어나올 것 같지 않다. 한 번은 지나가던 사람 중에 한 사람을 뒤쫓아 가서 그 사람의 소매를 건드리기까지 했다. 그러나 그 사람이 뒤돌아보자 아버지는,

"실례했습니다."

라고 한 마디 하고는 그만 황급히 뒤로 물러서 버렸다.

"아빠, 굴이 뭐야?"

하고 나는 되풀이해 묻는다.

"그건 생물의 이름이란다. 바다에 사는······."

아버지의 말에 나는 한 번도 본 적이 없는 생물을 마음속으로 그려 본다.

'그건 아마도 물고기와 새우의 중간쯤 되는 것일 거야. 그리고 바다의 생물이라면, 그걸로 향기로운 후추와 월계수 잎을 넣은 매우 맛있

고 따끈한 수프나, 연골을 넣은 약간 새콤한 고기 수프, 혹은 새우 소스나 겨자를 곁들인 냉요리 등을 만들겠지…….'

나는 이 생물을 시장에서 사와 재빨리 씻고 재빨리 냄비 안에 넣어 본다. 빨리, 빨리……. 모두들 빨리 먹고 싶어하니까! 주방에서 생선 굽는 냄새와 새우 수프 냄새가 확 풍겨 온다.

그 냄새들은 콧구멍을 간질이면서, 점점 내 온몸 가득 번져간다……. 음식점에서도, 아버지에게서도, 저 벽에 붙은 흰 종이에서도 내 소매에서도, 아니 모든 것에서 그 냄새가 난다. 너무 강하게 풍겨 오므로 나는 그만 씹기 시작한다. 씹어서 꿀떡 삼킨다. 정말로 내 입속으로 저 바다의 생물을 집어넣기라도 한 듯이…….

'아아, 맛있다!'

하고 생각하는 순간, 내 다리가 그만 휘청하고 휘어져 버렸다. 나는 쓰러지지 않으려고 옆에 있던, 축축히 젖은 아버지의 여름 외투에 매달린다. 아버지는 몸을 떨면서 오그라들고 있다. 추운 것이다.

"아빠, 굴은 채소 요리야, 아니면 고기 요리야?"

하고 나는 입속에 침이 솟는 걸 느끼며 묻는다.

"산 채로 먹는 거야……."

하고 아버지가 말한다.

"거북이처럼 단단한 껍질을 쓰고 있단다. 껍질이 두 겹이지."

순간, 맛있는 냄새의 환상이 사라져 버린다……. 뭐야, 그랬던가!

"아이, 징그러워!"

하고 나는 중얼거린다.

"아이, 징그러워!"

산 채로 먹는 굴이라니! 개구리가 떠오른다. 한 마리의 개구리가 껍질 속에 쭈그리고 앉아, 크고 번들번들 빛나는 두 눈을 굴리며 징그러운 턱을 움질거리고 있다. 나는 집게발을 한 껍질을 뒤집어쓰고 있는, 번들 번들 빛나는 눈에다 미끌미끌한 피부에 덮인 이 생물을 시장에서 날라 오는 광경을 상상해 본다……. 아이들은 모두 혼비백산하여 숨는다. 하 녀는 기분 나쁜 표정으로 얼굴을 찡그리며, 그 생물의 집게발을 집어 접시 위에 얹고 식탁으로 가져 간다……. 산 채로, 눈알도, 이빨도, 발 도 다 그대로 살아 있는 생물을! 그 짐승은 꽥꽥 울면서 입술을 물려고 몸부림친다.

나는 얼굴을 찌푸린다……. 그러나……. 어째서 나의 이빨은 저절로 씹기 시작하는 것일까? 생각만 해도 끔찍하고 무서운 동물이 아닌가! 그런데도 나는 먹는다. 한 놈을 통째로 먹어치운다. 그러자 두 번째, 세 번째의 번들번들 빛나는 눈과 마주친다. ……. 나는 그것도 먹는다. ……. 나중에는 냅킨도, 접시도, 아버지의 덧신도, 벽에 붙어 있는 저 흰 종이도 우걱우걱 먹는다……. 눈에 띄는 것은 뭣이든 먹는다. 먹기만 하면 나의 이 이상한 병이 나을 것 같다. 굴은 번들거리는 눈을 부라리 고 날 노려본다. 무섭다. 나는 갑자기 온몸이 덜덜 떨려 온다. 하지만 난 먹어야겠다! 먹고 싶어! 먹지 않고는 정말 못 견디겠다고!

"굴을 줘요! 굴을 줘요!"
하는 외침이 가슴속에서 튀어나온다. 나는 두 손을 앞으로 내민다.

"적선해 주십시오, 나리!"
그 때, 목을 졸린 듯한 공허한 아버지의 목소리가 들린다.

"부끄러운 말씀입니다만, 어쩔 도리가 없군요!"

"굴을 줘요!"
아버지의 옷자락을 잡아당기면서 나는 외친다.

"허어, 너 굴을 먹을 줄 아니? 이렇게 어린 아이가!"
주위에서 왁자하게 웃음소리가 들린다.

그러자 실크햇을 쓴 두 신사가 웃으며 내 얼굴을 들여다본다.

"어이, 꼬마야. 네가 굴을 먹는다고? 그게 정말이야? 어디 구경 좀 해 볼까?"

누군지 억센 손 하나가 나를 휘황하게 불이 밝은 음식점으로 끌고 간다. 금방 많은 사람들이 내 주위로 몰려와 날 바라보며, 무척 신기한 듯이 웃고 떠든다.

테이블에 앉은 나는 뭔가 미끈미끈하고 찝질하고 물컹물컹하고 퀴퀴한 것을 먹기 시작한다. 내가 뭘 먹고 있는지 보지도 않고, 알려고도 하지 않은 채, 나는 그것을 씹지도 않고 정신없이 먹는다. 눈을 뜨면 금방이라도 번들번들 빛나는 눈알과 집게발과 날카로운 이빨이 날 잡아먹을 것 같았다.

그런데 입 안에서 갑자기 뭔가 딱딱한 것이 씹히기 시작한다. 바작바작하게 소리도 난다.

"하하하! 이 애는 껍질까지 먹는군!"

하고 모두들 큰 소리로 웃는다.

"바보야, 그걸 먹으면 어떻게 하냐!"

그 다음에 내가 기억하고 있는 것은 지독한 갈증이다. 침대에 누워 있어도 입 속의 이상한 맛 때문에 영 잠을 잘 수가 없다. 아버지는 방 안을 돌아다니며 두 팔을 마구 휘두르고 있다.

"감기가 든 모양이군."

하고 아버지가 중얼거린다.

"머리가 아무래도 그런 것 같아……. 마치 누군가 내 머릿속에 들어 앉아 있는 것 같군……. 아아, 어쩌면 이건 내가……. 그 뭔가……. 오늘 아무것도 먹지 않았기 때문일지도 몰라……. 정말, 난 왜 이렇게 멍청한지……. 저 나리들이 굴 값으로 10루블이나 되는 큰 돈을 내는 것을 이 두 눈으로 보면서도 왜 말을 못하냔 말야. 어째서 '얼마라도 좋으니 돈을 잠시만 빌려 주십시오' 하고 왜 부탁을 못했느냐고! 분명 빌릴 수 있었을 텐데……."

새벽녘에야 나는 겨우 잠이 들락말락한다. 나는 집게발이 달린 개구리 꿈을 꾼다. 개구리는 껍질 속에 앉아서 번들거리는 눈알을 부라린다. 점심 나절에야 나는 목이 말라서 간신히 눈을 뜬다. 눈으로 아버지를 찾았더니, 아버지는 여전히 방 안 이곳저곳을 걸어다니며 두 팔을 휘두르며 중얼거리고 있다.

"왜 말을 못 했을까! 왜, 왜?……."

작품 알아보기
(단편문학)

체호프의 희곡 중에서도 가장 완숙한 작품으로 평가 받는 **〈벚 꽃 동산〉**은 1904년 모스크바 예술극장에서 초연된 뒤에 출간된 작품이다.

경제적으로 몰락하였으면서도 낭비벽을 버리지 못하는 라네프스카야 부인과 의존적인 오빠 가예프, 농노의 자식으로 지금은 부유한 상인이 된 로파힌, 라네프스카야 부인의 외동딸이며 미래의 꿈에 젖어 있는 아냐 등이 이 작품의 등장 인물들이다.

경매에 붙여진 '벚꽃 동산'은 마침내 로파힌의 손에 넘어 가고, 부인 일가는 묵은 벚나무들이 찍혀 넘어가는 소리를 들으면서 각자의 생활 속으로 흩어져 간다.

〈갈매기〉는 출구 없는 희망과 생의 근원적인 우울이, 여배우를 꿈꾸었다가 좌절하고 마는 니나와 작가 지망생 트레플레프의 이야기를 통하여 펼쳐지는 작품이다.

니나는 좌절 속에서도 자기가 앞으로 어떻게 해야 하는가를 알고 있는 인물이다. 그녀는 자기에게 있어서 가장 소중한 것이, 지난날에 꿈꾸던 화려한 명성이 아니라 '인내력'임을 알게 된다. 니나의 개안을 통해, 눈에 보이지 않는 인생의 진실을 시의 경지로 끌어올린 작품이나.

작품 알아보기
(단편문학)

〈귀여운 여인〉의 올렌카는 누구에게서나 사랑 받는 '귀여운 여인' 이었다. 하지만 그녀는 첫 남편인 흥행사, 그리고 재혼한 목재상과도 사별한다. 사랑하는 사람 없이는 한순간도 살아갈 수 없는 올렌카는 이번에는 처자식이 있는 수의사와 친해지는데, 얼마 뒤 그는 변경으로 떠나 버린다.

몇 해 뒤 수의사가 돌아오자, 올렌카는 이번에는 그의 어린 아들에게 정성을 쏟게 된다. 덧없는 사랑을 좇다가 볼품없이 늙어 가는 한 여성의 인생 행로를 그린 단편으로, 톨스토이의 극찬을 받았다.

논술 길잡이
(단편문학)

❶ 〈벚꽃 동산〉은 '연극 상연'을 목적으로 하는 희곡 작품이다.
자신이 무대 감독이라면 이 작품의 무대를 어떻게 꾸미겠는
지 상상하여 써 보자.

....

....

....

....

❷ 경매에 넘어간 벚꽃 동산의 벚나무들은 도끼에 찍혀 쓰러지
게 되는데, 제목 '벚꽃 동산'이 상징하는 것은 무엇인지 당
시 러시아의 상황과 관련하여 논술하라.

....

....

....

....

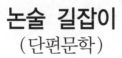

논술 길잡이
(단편문학)

❸ 아래에 나오는 트리고린의 대사를 읽고, '갈매기'가 암시하는 것은 무엇인지 니나의 꿈과 관련지어 논술해 보자.

> 트리고린 – 주제가 생각나서 말예요. (수첩을 집어넣으면서) 자그마한 단편의 주제인데요, 호숫가에 꼭 당신 같은 젊은 아가씨가 어릴 적부터 살고 있습니다. 갈매기처럼 호수를 좋아하고, 갈매기처럼 행복하고 자유로웠던 그 아가씨는 어느 날 우연히 나타난 한 사나이의 심심풀이 대상이 되어 파멸하고 말죠. 바로 이 갈매기처럼요.

....

....

....

....

....

논술 길잡이
(단편문학)

❹ 아래 그림은 매순간 누군가를 사랑해야만 하는 기질을 타고
난 '귀여운 여인' 올렌카의 모습을 보여 주고 있다. 올렌카
의 성격을 장점과 단점으로 나누어 분석해 보자.

◆ 장점:

◆ 단점:

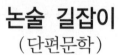

논술 길잡이
(단편문학)

❺ 다음은 푸스토바로프와 사랑에 빠진 올렌카의 심리를 묘사하고 있다. 올렌카의 사랑은 어떤 성격을 보이는지 논술하라.

그녀는 자기가 아주 오래 전부터 재목상을 해온 듯한 기분이 들었다. 이 세상에서 목재만큼 중요하고 꼭 필요한 것도 없는 것 같았다.

도리목, 통나무, 얇은 판자, 각목, 대목, 배판 같은 말들은 그녀에게 친근하고 다정한 여운을 느끼게 해 주는 말들이었다. 그녀는 밤마다 이 목재들에 얽힌 꿈을 꾸었다. 두껍거나 얇은 판자들이 몇 개의 산더미를 이루거나, 목재를 실은 짐마차들의 끝없는 행렬이 이어지고, 거대한 통나무들이 일어서 하나의 군대를 이루어 깃발을 휘날리며 북소리와 함께 원목장으로 쳐들어오거나, 도리목과 배판이 싸움을 벌여 쨍쨍한 소리를 울리며 쌓이는 꿈들이었다.

논·술·세·계·대·표·문·학 〈전60권〉

펴 낸 이	정재상
펴 낸 곳	훈민출판사
주　　　소	경기도 고양시 덕양구 원당동 416번지
대 표 전 화	(031)962-3888
팩　　　스	(031)962-9998
출 판 등 록	제395-2003-000042호